FOLIO
JUNIOR

Titre original : *Going Solo*

© The Roald Dahl Story Company Ltd, 1986, pour le texte,
pour toute photographie et document.
Roald Dahl est une marque déposée de The Roald Dahl Story Company Ltd.
© Éditions Gallimard, 1985, pour la traduction française
© Éditions Gallimard Jeunesse, 2007, pour la présente édition

ROALD DAHL

ESCADRILLE 80

Traduit de l'anglais
par Janine Hérisson et Henri Robillot

GALLIMARD JEUNESSE

*Dar es-Salaam,
le port*

*Chez le coiffeur
à Dar es-Salaam*

Dar es-Salaam, la résidence de la Shell

« Sundowner » à la Shell

*Nairobi,
initiation au pilotage*

Le Caire

Habbaniya, le « Crasseux »
et moi

Alexandrie, en convalescence
dans le jardin des Peel

Éleusis

Haïfa, ma voiture

Haïfa, mon Hurricane

Haïfa, juin 1941

Une vie est composée d'un grand nombre de petits incidents et d'un petit nombre de grands. Une autobiographie, par conséquent, sous peine de devenir lassante, se doit d'être très sélective, éliminant tous les épisodes négligeables pour se concentrer sur ceux restés gravés dans la mémoire.

La première partie de ce livre fait suite à mon autobiographie parue sous le titre *Moi, Boy*. Je suis en route pour l'Afrique orientale où je vais occuper mon premier emploi, mais comme un travail, quel qu'il soit, même en Afrique, n'est pas continuellement passionnant, je me suis efforcé d'opérer un tri et je n'ai évoqué que les moments que j'estimais mémorables.

Dans la seconde partie du livre, qui traite de l'époque où j'étais pilote dans la RAF durant la Seconde Guerre mondiale, il ne m'a pas été nécessaire de choisir ou d'éliminer quoi que ce soit car chaque moment a été, pour moi du moins, totalement exaltant.

Roald Dahl

Pour Sofie Magdalene Dahl,
(1885-1967)

Le voyage

Le navire qui m'emmenait d'Angleterre en Afrique en cet automne de 1938 s'appelait le *S. S. Mantola*. C'était un vieux rafiot à la peinture écaillée de neuf mille tonnes avec une seule haute cheminée et un moteur dont les vibrations faisaient tressauter les tasses à thé dans leurs soucoupes sur la table de la salle à manger.

La traversée depuis le port de Londres jusqu'à Mombasa devait prendre deux semaines et, en route, nous allions faire escale à Marseille, Malte, Port-Saïd, Suez, Port-Soudan et Aden. De nos jours, on peut par avion gagner Mombasa en quelques heures sans s'arrêter nulle part et plus rien n'est fabuleux, mais, en 1938, un voyage de ce genre était jalonné d'étapes et l'Afrique orientale était bien loin de chez vous, surtout si votre contrat avec la Shell stipulait que vous deviez y demeurer trois ans d'affilée. J'avais vingt-deux ans lorsque je partis. J'en aurais vingt-cinq lorsque je reverrais ma famille.

Le souvenir le plus vif que j'ai gardé de ce voyage, c'est celui de l'extraordinaire comportement des autres passagers. Je n'avais encore jamais rencontré cette catégorie spéciale d'Anglais bâtisseurs d'empire qui passaient toute leur existence à s'activer dans les coins les plus reculés du territoire britannique. N'oubliez pas, je vous prie, que durant les années trente l'Empire britannique était encore dans toute sa splendeur et les hommes et les femmes qui lui permettaient de se perpétuer appartenaient à une race d'individus que la plupart d'entre vous n'ont jamais vue et que vous ne verrez plus jamais maintenant. Je m'estime privilégié d'avoir pu apercevoir ces rares spécimens pendant qu'ils hantaient encore les forêts et les collines de la terre, car l'espèce en est de nos jours totalement éteinte. Jamais plus je ne rencontrerai de phénomènes aussi extravagants, plus anglais que les Anglais, plus écossais que les Écossais. Tout d'abord, ils parlaient une langue qui leur était propre. S'ils travaillaient en Afrique orientale, leurs phrases étaient émaillées de mots swahili et, s'ils vivaient en Inde, toutes sortes de dialectes se mélangeaient dans leurs propos. En outre, un vocabulaire complet d'expressions courantes semblait commun à tous ces gens. Un verre bu dans la soirée, par exemple, était toujours un *sundowner* (un « crépuscule »). Un verre bu à n'importe quel autre moment était un petit coup de *chota*. Les épouses étaient des *memsahib*. Jeter un coup d'œil à quelque chose, c'était jeter un *shufti*. Et d'ailleurs, détail intéressant, dans l'argot de la RAF au Moyen-Orient, un avion de reconnaissance était un zinc *shufti*. Un objet de mauvaise qualité était *shenzi*. Le dîner était le *tiffin*,

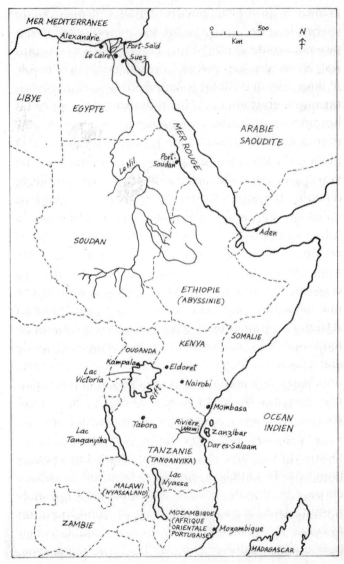

Afrique orientale

et ainsi de suite. Le jargon des bâtisseurs d'empire aurait rempli tout un dictionnaire. De toute façon, c'était merveilleux pour moi, jeune Londonien conventionnel, d'être soudain projeté au milieu de cette bande d'olibrius musclés et bronzés et de leurs petites épouses maigres et pétulantes, et ce que je préférais de loin chez eux, c'étaient leurs excentricités.

Il semblerait que, lorsque les Britanniques vivent durant des années sous des climats malsains et étouffants parmi des étrangers, ils ne conservent leur raison qu'en se permettant de devenir légèrement cinglés. Ils cultivent d'étranges marottes qui ne seraient jamais tolérées chez eux, alors que dans la lointaine Afrique ou à Ceylan ou en Inde ou dans les États fédérés de Malaisie, ils pouvaient se conduire comme bon leur semblait. À bord du *S. S. Mantola*, à peu près tout le monde avait un grain et, quant à moi, j'eus l'impression durant tout le voyage d'assister à une pantomime perpétuelle. Laissez-moi vous parler d'un ou deux de ces clowns.

Je partageais ma cabine avec le directeur d'une filature de coton dans le Pendjab, appelé U. N. Savory (je n'en crus pas mes yeux lorsque je vis ces initiales pour la première fois sur sa malle), et j'occupais la couchette du haut. La tête sur mon oreiller, je pouvais donc, par le hublot, contempler le pont des embarcations et, au-delà, le vaste océan bleu. Le matin de notre quatrième jour en mer, je me réveillai à l'aube. Étendu sur ma couchette, je regardais paresseusement par le hublot, tout en écoutant les légers ronflements de U. N. Savory, couché juste en dessous de moi. Soudain, la silhouette d'un homme nu, nu comme un singe de la jungle, passa en trombe devant le hublot et disparut ! Il avait surgi et s'était évanoui dans un silence absolu et je me demandais si je n'avais pas été le jouet d'une hallucination, si je n'avais pas vu un fantôme, et même un fantôme nu.

Une minute ou deux plus tard, la même créature en tenue d'Adam passait de nouveau !

Cette fois, je me redressai sur mon séant. Je voulais mieux voir le spectre sans voile du petit jour, aussi rampai-je jusqu'au bout de ma couchette pour passer la tête par le hublot. Le pont des embarcations était désert. La Méditerranée était calme et d'un bleu laiteux, et un brillant soleil jaune venait de surgir au-dessus de l'horizon. Le pont était tellement vide et silencieux que je commençais à me demander sérieusement si, après tout, je n'avais pas entrevu le fantôme d'un voyageur tombé par-dessus bord lors d'une précédente traversée et qui passait maintenant l'éternité à courir au-dessus des vagues et à remonter à bord de son navire perdu.

Soudain, de mon point d'observation, je décelai un mouvement tout au bout du pont. Puis un corps nu se matérialisa. Mais ce n'était point un fantôme. Cette chair-là était bien solide et l'homme galopait sur le pont entre les canots de sauvetage et les ventilateurs, accourant dans ma direction sans faire le moindre bruit. Il était petit et trapu, légèrement bedonnant dans sa nudité et, arrivé à une vingtaine de mètres de moi, il aperçut ma tête sortant bêtement du hublot. Agitant un bras velu, il me lança :

– Venez, mon garçon ! Venez donc faire un petit galop avec moi ! Gonfler vos poumons d'air marin ! Excellent pour la forme ! Ça fait fondre la graisse inutile !

À sa seule moustache, je reconnus le major Griffiths, qui, juste la veille au soir, au cours du dîner, m'avait expliqué qu'il avait passé trente-six ans en Inde et qu'il retournait une fois de plus à Allahabad après son congé habituel.

J'adressai un pâle sourire au major quand il passa en caracolant devant moi, mais ne rentrai pas la tête dans ma cabine. Je voulais le revoir. Il y avait un je-ne-sais-quoi d'admirable dans la façon dont il arpentait le pont au pas de course sans le moindre vêtement sur le dos, de merveilleusement innocent, libre de préjugé, joyeux, amical. Et, moi, j'étais là, paralysé de gêne juvénile, à le regarder par le hublot, les yeux ronds, scandalisé malgré tout par cette conduite. Mais en même temps je l'enviais. J'étais au fond jaloux de sa désinvolture et j'aurais donné n'importe quoi pour avoir moi-même le culot d'aller le rejoindre et de l'imiter. Je mourais d'envie d'ôter mon pyjama, de cavaler tout nu sur le pont et tant pis si on me voyait. Mais je n'aurais pu m'y résoudre pour tout l'or du monde. J'attendais donc qu'il repasse.

Ah, il arrivait ! Je l'apercevais tout au bout du pont, ce hardi major galopant, dédaigneux de l'opinion d'autrui, et je décidai aussitôt de l'interpeller avec

Mrs. S. Dell.
Ashwood.
Oxley.

AMEZ PROTEC
PIGEON VOYA
PAQUEBOT

BRITISH INDIA
LINE

BRITISH INDIA
LINE

S.S. Mantola
Saturday morning.

Dear Emma

We've had a marvellous journey.
Fairly calm in the Bay of Biscay (at least I
wasn't sick) Then as soon as we came
to the Spanish coast the sun came out
and it has stayed out ever since. We
passed Gibraltar Wednesday morning and
I did [...]

BRITISH INDIA S.N. CO'S S.S. "MANTOLA" 9,065 TONS GROSS

nonchalance pour lui montrer que j'étais «dans le coup» et que je n'avais même pas remarqué sa nudité.

Mais, un instant!… Que se passait-il?… Il y avait quelqu'un avec lui!… Un autre type courait à côté de lui cette fois!… Et tout aussi nu que le major, en plus!… Que diable se passait-il donc à bord de ce navire? Tous les passagers mâles se levaient-ils à l'aube pour aller sprinter sur le pont dans le plus simple appareil?… S'agissait-il d'un rituel inconnu de moi, propre aux bâtisseurs d'empire, fanatiques de culturisme?… Tous deux se rapprochaient maintenant. Seigneur Dieu, le deuxième ressemblait à une femme!… Mais oui, c'était une femme!… Une femme nue au derrière plus dénudé que celui de la *Vénus de Milo*!… Mais la ressemblance s'arrêtait là car je pouvais voir maintenant que cette créature efflanquée et à la peau blanche n'était autre que Mme le major Griffiths elle-même!… Je me pétrifiai à mon hublot, les yeux rivés sur cet épouvantail femelle qui trottait si fièrement au côté de son époux nu comme un ver, les coudes repliés, le menton haut, comme pour dire : « Ne formons-nous pas un couple formidable tous les deux, et n'est-il pas bel homme, le major mon mari? »

– Venez donc! me cria le major. Si la petite memsahib peut le faire, vous aussi! Cinquante fois le tour du pont, ça ne fait que six kilomètres!

– Belle matinée! murmurai-je lorsqu'ils passèrent au pas de course à ma hauteur. Une journée magnifique.

Deux heures plus tard, j'étais assis en face du major et de la petite memsahib à la table du petit déjeuner

18

dans la salle à manger et l'idée qu'un peu plus tôt j'avais vu cette même petite memsahib sans voile me donna la chair de poule. Gardant la tête basse, je fis mine de ne pas les voir.

– Ah ! s'exclama soudain le major. Ce n'est pas vous, jeune homme, qui passiez la tête par votre hublot ce matin ?

– Qui, moi ? murmurai-je, le nez sur mes corn-flakes.

– Oui, vous ! reprit le major, triomphant. Je n'oublie jamais un visage !

– Je… je respirais un peu d'air frais, marmonnai-je.

– Vous ne vous contentiez pas de respirer ! s'écria le major, un large sourire aux lèvres. Vous vous rinciez l'œil à regarder la memsahib, voilà ce que vous faisiez !

Un profond silence s'était abattu soudain sur notre table de huit personnes et tout le monde regardait dans ma direction. Je sentis le feu me monter aux joues.

– Je comprends ça, d'ailleurs, enchaîna le major en adressant à sa femme un clin d'œil appuyé. En fait, je ne vous le reproche pas. Vous le lui reprocheriez, vous autres ? ajouta-t-il, s'adressant aux autres convives. Après tout, on n'est jeune qu'une fois. Et, comme disait le poète… (il observa une pause, gratifiant son horrible femme d'un autre clin d'œil monumental) la beauté est source de joie éternelle.

– Oh, ferme-la, Bonzo ! dit sa femme, aux anges.

– Là-bas, à Allahabad, reprit le major, les yeux fixés sur moi maintenant, je me fais une règle de jouer une demi-douzaine de *chukkas* tous les matins avant le petit déjeuner. Je ne peux pas faire ça à bord d'un bateau, bien entendu. Alors je prends de l'exercice d'une autre façon.

Je me demandais en quoi pouvait bien consister ce jeu de *chukkas*.

— Pourquoi ne pouvez-vous pas ? demandai-je, prêt à tout pour changer de sujet.

— Pourquoi je ne peux pas quoi ? dit le major.

— Jouer au… au *chukka* à bord du bateau ?

Le major était un de ces hommes qui mâchaient leur porridge.

Il me fixa de ses yeux gris pâle et vitreux, mastiquant avec lenteur.

— J'espère que vous n'essayez pas de me dire que vous n'avez jamais joué au polo de votre vie, déclara-t-il.

— Au polo, dis-je. Ah oui, bien sûr… le polo.

À l'école, on y jouait à bicyclette avec des crosses de hockey.

Le regard du major devint soudain furibond et il cessa de mâcher. Il me dévisageait avec un tel mépris et une telle horreur, et son visage était devenu si cramoisi que je craignis de le voir victime d'une attaque.

Dès lors, ni le major ni sa femme ne voulurent plus rien avoir affaire avec moi. Ils changèrent de table dans la salle à manger et, lorsque nous nous rencontrions sur le pont, ils m'ignoraient complètement. Je m'étais montré coupable d'un crime impardonnable. Je m'étais moqué, dans leur esprit du moins, du polo, le sport sacré des Anglo-Indiens et de la royauté. Seul le dernier des rustres pouvait se conduire ainsi.

Il y avait aussi Miss Trefusis, une femme d'un certain âge, souvent assise à la même table que moi au dîner. Miss Trefusis n'avait que la peau sur les os et, quand elle marchait, son corps était courbé en avant comme un boomerang. Elle m'apprit qu'elle possédait une petite plantation de café dans les hautes terres du Kenya et qu'elle avait très bien connu la baronne Blixen. J'avais moi-même lu et adoré à la fois *Out of Africa* et *Seven Gothic Tales*, et j'écoutais avec ravissement tout ce que Miss Trefusis me racontait sur ce grand écrivain qui se faisait appeler Isak Dinesen.

– Elle avait un grain, bien entendu, dit Miss Trefusis. Comme nous tous qui vivons là-bas, elle était devenue complètement toquée à la fin.

– Vous n'êtes pas toquée, vous, déclarai-je.

– Si, bien sûr, répliqua-t-elle d'un ton ferme avec le plus grand sérieux. Tout le monde à bord de ce navire a la cervelle dérangée. Vous ne le remarquez pas parce que vous êtes jeune. Les jeunes ne sont pas observateurs. Ils ne s'intéressent qu'à eux-mêmes.

– J'ai vu le major Griffiths et sa femme qui couraient autour du pont complètement nus l'autre matin, dis-je.

– Et pour vous, c'est l'indice d'une cervelle dérangée ? fit Miss Trefusis avec un petit reniflement de mépris. Pas du tout. C'est *normal*.

– Je n'ai pas eu cette impression.

– Eh bien, jeune homme, vous aurez de fâcheuses surprises avant peu, croyez-moi, dit-elle. Les gens deviennent vraiment timbrés quand ils vivent trop longtemps en Afrique. C'est là que vous allez, n'est-ce pas ?

– Oui.

– Eh bien, vous deviendrez timbré, dit-elle, comme nous tous.

Elle était, à ce moment-là, en train de manger une orange et je remarquai soudain qu'elle ne s'y prenait pas d'une façon classique. Pour commencer, elle l'avait prélevée dans la coupe à fruits en y plantant sa fourchette au lieu de la saisir avec ses doigts. Et, maintenant, à l'aide de sa fourchette et de son couteau, elle pratiquait une série de petites incisions précises dans la peau tout autour de l'orange. Ensuite, avec une grande délicatesse, de la pointe de sa fourchette et de son couteau, elle éplucha la peau en huit tranches séparées, découvrant le fruit intact et moelleux. Toujours à l'aide de la fourchette et du couteau, elle sépara les quartiers juteux et commença à les manger lentement, un par un, en les piquant avec sa fourchette.

– Vous mangez toujours les oranges comme ça ? demandai-je.

– Évidemment.

– Puis-je vous demander pourquoi ?

– Je ne touche jamais ce que je mange avec mes doigts, dit-elle.

– Oh, mon Dieu ! Vraiment ?

– Jamais. Je ne l'ai pas fait depuis l'âge de vingt-deux ans.

– Et il y a une raison à ça ? demandai-je.

– Bien sûr, il y a une raison. Les doigts sont répugnants de saleté.

– Mais vous vous lavez les mains.

– Je ne les *stérilise* pas, répliqua Miss Trefusis. Les doigts ne sont que des instruments. Ce sont les outils de jardinage du corps, comme les pelles et les pioches. Nous les fourrons dans n'importe quoi.

– Nous survivons, semble-t-il, dis-je.

– Pas pour longtemps, croyez-moi, répliqua-t-elle d'un air sombre.

Je la regardai manger son orange, poignardant les quartiers les uns après les autres avec sa fourchette. J'aurais pu lui dire que sa fourchette n'était pas stérilisée, mais je gardai ma réflexion pour moi.

– Les orteils, c'est encore pire, dit-elle brusquement.

– Je vous demande pardon ?

– Ce sont les pires de tous, dit-elle.

– Qu'est-ce que vous reprochez aux orteils ?

– Ce sont les parties les plus immondes du corps humain ! s'exclama-t-elle avec véhémence.

– Pires que les doigts ?

– Il n'y a pas de comparaison ! fit-elle sèchement. Les doigts sont sales et répugnants, mais les *orteils* ! Les orteils sont reptiliens, vipérins ! Je ne veux même pas en parler !

Une certaine confusion s'emparait de mon esprit.

– Mais on ne mange pas avec les orteils ! déclarai-je.

– Je n'ai jamais prétendu le contraire, s'emporta Miss Trefusis.

– Alors qu'ont-ils de tellement épouvantable ? m'obstinai-je.

– Pouah ! fit-elle. On dirait des petits vers sortant de

vos pieds. Je les hais, je les hais ! Je ne peux supporter de les voir !

– Alors comment coupez-vous vos ongles de pied ?

– Je ne les coupe pas, répondit-elle. Mon *boy* s'en charge.

Son *boy* ? Avait-elle un enfant ? Un garçon ? Et pourquoi se faisait-elle appeler Miss si elle était mariée et mère de famille ? Peut-être s'agissait-il d'un rejeton illégitime ?

– Quel âge a votre fils ? demandai-je avec circonspection.

– Non, non, non ! s'écria-t-elle. Vous ne connaissez donc rien à rien ? Un *boy* est un serviteur indigène. Ne l'avez-vous pas appris en lisant Isak Dinesen ?

– Ah oui, bien sûr, dis-je d'un ton d'excuse.

Distraitement, je pris moi-même une orange et m'apprêtai à la peler.

– Ne faites pas ça ! intervint Miss Trefusis, en réprimant un frisson. Vous allez attraper une maladie. Servez-vous de votre couteau et de votre fourchette. Allez, essayez.

J'essayai donc. C'était plutôt amusant. Entamer la peau du fruit juste à la bonne profondeur et détacher ensuite les morceaux procuraient une certaine satisfaction.

– Et voilà ! approuva Miss Trefusis. C'est très bien.

– Vous employez beaucoup de boys sur votre plantation ? lui demandai-je.

– Une cinquantaine, dit-elle.

– Ils marchent pieds nus ?

24

– Pas les miens. Toute personne travaillant pour moi doit porter des chaussures. Ça me coûte une fortune, mais ça en vaut la peine.

Miss Trefusis m'était sympathique. Elle était impatiente de nature, intelligente, généreuse, bref, intéressante. Je sentais qu'elle était femme à venir à mon secours en n'importe quelle circonstance, alors que le major Griffiths était insipide, vulgaire, arrogant et malveillant, le genre à vous abandonner aux crocodiles. Et même à vous pousser dans leurs gueules ouvertes. L'un et l'autre étaient, bien entendu, complètement cinglés. Tout le monde l'était à bord du navire, mais personne, comme l'avenir me le révéla, n'avait atteint un stade aussi avancé que mon compagnon de cabine, U. N. Savory.

Le premier signe de sa bizarrerie m'apparut un soir alors que notre navire faisait route entre Malte et Port-Saïd. La chaleur avait été étouffante tout l'après-midi et je me reposais un moment sur ma couchette du haut avant de m'habiller pour le dîner.

M'habiller ? Mais oui, parfaitement ! Chaque soir à bord de ce bateau, tout le monde s'habillait pour dîner. L'espèce mâle des bâtisseurs d'empire, que ce soit dans un campement en pleine brousse ou en mer sur un bateau à rames, s'habille *toujours* pour le dîner, et par là, j'entends qu'il se met en grande tenue : chemise blanche, cravate noire, smoking, chaussettes et chaussures vernies noires, et au diable le climat !

J'étais donc étendu sur ma couchette, les yeux entrouverts. Au-dessous de moi, U. N. Savory se préparait. La cabine était trop exiguë pour que nous puissions nous changer ensemble, et nous opérions, par conséquent, à tour de rôle. C'était à lui de s'habiller le premier ce soir-là. Il avait noué son nœud papillon et il endossait maintenant sa veste de smoking. Je l'observais d'un regard rêveur, les yeux mi-clos, et je le vis glisser la main dans sa trousse de toilette et en sortir une petite boîte en carton. Se plaçant devant la glace du lavabo, il ôta le couvercle de la boîte et plongea les doigts dedans. Ils en ressortirent une pincée d'une poudre blanche ou de petits cristaux dont il entreprit de saupoudrer avec soin les épaules de sa veste. Puis il referma la boîte et la remit dans sa trousse.

Mon attention fut soudain éveillée. Que diable manigançait-il ? Ne voulant pas qu'il sache que j'avais remarqué son manège, je fermai les yeux et fis mine de dormir. « Voilà qui est louche, me disais-je. Pourquoi U. N. Savory saupoudre-t-il de poudre blanche les épaules de sa veste ? Et quelle est la nature de ce produit ? Est-ce quelque parfum subtil, peut-être, ou un aphrodisiaque magique ? » J'attendis qu'il fût sorti de la cabine, puis, n'éprouvant qu'une once de culpabilité, je sautai à bas de ma couchette et ouvris sa trousse de toilette. Sur la petite boîte était écrit « sulfate de magnésium » ! Et c'était, en effet, du sulfate de magnésium. Et à quoi pouvait-il bien lui servir, répandu sur ses épaules ? Je l'avais toujours considéré comme un drôle de zèbre, un personnage lourd de secrets, sans que j'aie jamais découvert lesquels. Sous sa couchette étaient rangés une cantine et un étui en cuir noir. La

cantine n'avait rien de mystérieux, mais l'étui m'intri-
guait. Il était à peu près de la taille d'un étui à violon,
mais sans en avoir le galbe ni le couvercle bombé.
C'était une simple boîte en cuir rectangulaire de
quatre-vingt-dix centimètres de long, munie de deux
solides serrures en laiton.

– Vous jouez du violon ? lui avais-je un jour
demandé.

– Vous n'y pensez pas ! avait-il répondu. Je ne joue
même pas du gramophone.

« Peut-être l'étui contient-il un fusil de chasse à canon
scié », me dis-je. Il était, en tout cas, de la bonne taille.

Je remis la boîte de sulfate de magnésium en place,
puis je pris une douche, m'habillai et descendis boire
un verre avant le dîner. Un tabouret était libre au bar.
Je m'y installai et commandai une bière. Dix olibrius
musclés et bronzés, dont U. N. Savory, étaient assis au
bar sur de hauts tabourets. Ces derniers étaient vissés
dans le sol et le bar était semi-circulaire, ce qui permettait à tout le monde de parler avec tout le monde.
U. N. Savory se trouvait à environ cinq tabourets de
moi. Il buvait un *gimlet*, nom donné par les bâtisseurs
d'empire au gin additionné de citron vert. Assis sur
mon tabouret, je les écoutais parler à bâtons rompus de
chasse au sanglier, de polo, de l'efficacité du curry
contre la constipation. Je me sentais tout à fait en
dehors du coup. Incapable de participer à la conversation, je cessai d'écouter et concentrai mon attention
sur l'énigme du sulfate de magnésium pour essayer de
la résoudre.

Il se passa alors un incident étrange.

U. N. Savory se mit soudain à s'épousseter les épaules avec la main pour en faire tomber le sulfate de magnésium. Il gesticulait de façon ostentatoire, s'assénant de grandes claques sur les épaules, tout en déclarant d'une voix sonore :

– Saletés de pellicules ! J'en ai vraiment assez ! Il n'y en a pas un de vous qui connaît un bon remède ?

– Essayez l'huile de noix de coco, répondit l'un d'eux.

– Eau de laurier et cantharide, dit un autre.

Un planteur de thé d'Assam, du nom d'Unsworth, déclara :

– Croyez-moi sur parole, mon vieux, il faut stimuler la circulation dans le cuir chevelu. Et pour ça, il faut vous tremper la tête dans l'eau glacée tous les matins pendant cinq minutes. Après ça, vous vous séchez avec énergie. Vous avez de très beaux cheveux pour le moment, mais vous allez devenir chauve comme un œuf en deux temps trois mouvements si vous ne vous débarrassez pas de vos pellicules. Suivez mon conseil, mon vieux.

U. N. Savory avait en effet une superbe chevelure noire. Pourquoi diable voulait-il faire croire qu'il était affligé de pellicules s'il n'en avait pas ?

– Merci beaucoup, vieux, dit U. N. Savory. Je vais faire un essai. Je verrai si ça marche.

– Ça marchera, affirma Unsworth. C'est comme ça que ma grand-mère s'est débarrassée de ses pellicules.

– Votre *grand-mère* ? demanda quelqu'un. Elle avait des pellicules ?

– Quand elle se peignait, dit Unsworth, on aurait cru qu'il neigeait.

Pour la centième fois, je me disais qu'ils étaient tous jusqu'au dernier braques sans rémission, mais je commençais à penser que U. N. Savory leur faisait la nique, à tous. Les yeux fixés sur ma bière, j'essayais d'imaginer pour quelle raison il s'inventait des pellicules. Trois jours plus tard, j'eus la réponse.

C'était le début de la soirée. Nous traversions lentement le canal de Suez et la chaleur était plus accablante

Sur le canal de Suez, près d'Ismaïlia

que jamais. C'était mon tour de m'habiller le premier pour le dîner. Pendant que je me douchais et passais mes vêtements, U. N. Savory, allongé sur sa couchette, regardait dans le vide.

– La place est libre, dis-je enfin en ouvrant la porte et en sortant de la cabine. À tout à l'heure là-haut.

Comme d'habitude, je m'installai au bar et commençai à siroter une bière. Dieu, qu'il faisait chaud ! Les pales du grand ventilateur au plafond semblaient brasser de la *vapeur*. La sueur ruisselait dans mon cou et sous mon col cassé rigide. Je sentais l'amidon du col se détremper sur ma nuque. Le lot de bronzés musclés autour de moi semblait insensible à la chaleur. Je décidai d'aller sur le pont fumer une pipe avant le dîner. Il y ferait plus frais. Je tâtai mes poches à la recherche de ma pipe. Enfer et damnation, je l'avais oubliée ! Je me levai et descendis à ma cabine dont j'ouvris la porte. Un inconnu en bras de chemise était assis sur la couchette de U. N. Savory et, lorsque j'entrai, il poussa une sorte de bref glapissement et se leva d'un bond comme si on lui avait allumé un pétard sous les fesses.

L'inconnu était complètement chauve et il me fallut une seconde ou deux pour me rendre compte qu'il s'agissait de U. N. Savory lui-même. C'est extraordinaire à quel point une chevelure ou son absence peut métamorphoser un individu. U. N. Savory était un autre homme. Pour commencer, il faisait quinze ans de plus, et, de façon assez subtile, il semblait avoir également diminué, être devenu plus petit et plus maigre. Comme je le disais, sa calvitie était totale, et son crâne rose et luisant ressemblait à une grenade bien mûre. Il était debout maintenant, tenant à deux mains la perruque qu'il s'apprêtait à mettre lorsque j'étais entré.

– Vous n'aviez pas le droit de revenir ! hurla-t-il. Vous aviez dit que vous aviez terminé !

Ses yeux lançaient des éclairs de fureur.

– Je… je suis vraiment désolé, bredouillai-je. J'ai oublié ma pipe.

Il fixait sur moi un regard meurtrier et je voyais des petites gouttes de sueur perler sur son crâne dénudé. J'étais atterré. Je ne savais pas quoi dire.

– Je prends simplement ma pipe et je m'en vais, marmonnai-je.

– Ah, mais non ! vociféra-t-il. Vous avez vu maintenant et vous ne sortirez pas d'ici avant de m'avoir fait une promesse !… La promesse de ne rien dire à qui que ce soit ! Promettez-le-moi !

Derrière lui, je voyais cet étrange « étui à violon » en cuir noir ouvert sur sa couchette et, à l'intérieur, nichées les unes contre les autres, comme trois gros hérissons noirs et chevelus, se trouvaient trois autres perruques.

– Il n'y a pas de honte à être chauve, dis-je.

– Je ne vous ai pas demandé votre opinion ! cria-t-il, toujours furieux. Je veux simplement votre promesse.

– Je ne dirai rien à personne, dis-je. Je vous donne ma parole.

– Et je vous conseille de la tenir, dit-il.

Levant le bras, je pris ma pipe posée sur ma couchette. Puis je me mis à fouiller dans divers endroits, à

31

la recherche de ma blague à tabac. U. N. Savory s'assit sur la couchette du bas.

– Vous pensez que je suis fou, je suppose ? dit-il.

Et sa voix avait perdu soudain toute son agressivité.

– Pas du tout, répondis-je. Un homme est libre de faire ce qu'il veut.

– Vous croyez que c'est par vanité, je parie, dit-il. Mais ce n'est pas par vanité. Ça n'a rien à voir avec la vanité.

– C'est sans importance, dis-je. Je vous assure.

– C'est pour mes affaires. Je le fais uniquement pour des raisons commerciales. Je travaille à Amritsar, dans le Pendjab. C'est la patrie des sikhs. Pour un sikh, les cheveux, c'est comme une religion. Un sikh ne les coupe jamais. Il les enroule en chignon au sommet de sa tête ou dans un turban. Un sikh ne peut pas respecter un chauve.

– Dans ce cas, je trouve très judicieux de votre part de porter une perruque, dis-je. (Je devais partager cette cabine avec U. N. Savory pendant plusieurs jours encore et ne voulais pas me quereller avec lui.) C'est très astucieux.

– Vous trouvez vraiment ? demanda-t-il, se radoucissant.

– C'est une idée de génie.

– Je me donne beaucoup de mal pour persuader ces wallahs sikhs que ce sont mes propres cheveux, enchaîna-t-il.

– Le coup des pellicules, vous voulez dire ?

– Vous avez vu, alors ?

– Oui, j'ai vu. C'est génial.

– C'est simplement une de mes petites ruses, reprit-il. (Et une certaine vanité perçait maintenant dans son ton.) Personne ne va vous soupçonner de porter une perruque si vous avez des pellicules, n'est-ce pas ?

– Absolument. C'est réellement génial. Mais pourquoi le faire ici ? Il n'y a pas de sikhs à bord de ce navire.

– Il faut se méfier, répliqua-t-il d'un air sombre. On ne peut pas savoir qui risque de rôder dans les parages.

L'homme avait vraiment une araignée dans le plafond.

– Je vois que vous en possédez plusieurs, dis-je, en montrant l'étui en cuir noir.

– Une seule, ça ne sert à rien, répondit-il, si l'on veut jouer le jeu correctement comme moi. J'en emmène toujours quatre et elles sont légèrement différentes. Vous oubliez, mon vieux, que les cheveux poussent, n'est-ce pas. Chaque semaine, j'en mets une plus longue.

– Que se passe-t-il lorsque vous avez porté la plus longue et ne pouvez aller plus loin ?

– Ah, fit-il. C'est l'argument décisif.

– Je ne vous suis pas très bien.

– Je déclare simplement : « Est-ce que quelqu'un connaîtrait un bon coiffeur dans le coin ? » Et le lendemain, je recommence à zéro en portant la plus courte.

– Mais, d'après vous, les sikhs n'aiment pas qu'on coupe les cheveux.

– Je ne fais ça qu'en présence d'Européens, dit-il.

Je le regardai fixement. Il était fou à lier. Je sentais que j'allais le devenir moi-même si je continuais à parler avec lui. Je me rapprochai de la porte.

– Je vous trouve étonnant, lui dis-je. Vous êtes génial, sincèrement. Et surtout ne vous inquiétez pas. Je serai muet comme une carpe.

– Merci, vieux, dit U. N. Savory. Vous êtes un brave garçon.

Je m'enfuis de la cabine dont je refermai la porte.

Et voilà l'histoire de U. N. Savory.

Vous n'y croyez pas ?

Écoutez, j'avais moi-même du mal à y croire tandis que je remontais en vacillant vers le bar.

Mais j'ai tenu ma promesse. Je n'ai rien dit à personne. Maintenant, ça n'a plus d'importance. Cet homme avait au moins trente ans de plus que moi et, par conséquent, son âme doit maintenant reposer en paix et ses neveux et nièces se servent probablement de ses perruques pour jouer aux charades.

Chère maman,

Nous sommes maintenant en mer Rouge et on crève de chaleur ! Nous avons le vent dans le dos et il souffle exactement à la même vitesse que le bateau ; il n'y a donc pas un souffle d'air à bord. Trois fois, ils ont fait tourner le bateau contre le vent pour faire entrer un peu d'air dans les cabines et la salle des machines. Les ventilateurs se contentent de vous envoyer un souffle brûlant à la figure.

Le pont est jonché d'épaves inertes et ruisselantes qui ressemblent tout à fait à des serviettes trempées en train de fumer au-dessus du fourneau de la cuisine. Ils se bornent à fumer des cigarettes et à hurler : « Boy, une autre bière glacée ! »

Je ne souffre pas trop de la chaleur – sans doute parce que je suis mince. D'ailleurs dès que j'aurai fini cette lettre, je vais aller faire une bonne partie de « deck-tennis » avec un autre maigre, un vétérinaire du service de santé, appelé Hammond. Nous jouons torse nu et nous lançons l'anneau de toutes nos forces. Et quand nous sommes obligés de nous arrêter, de crainte de nous noyer dans notre propre sueur, nous sautons tout simplement dans la piscine.

Dar es-Salaam

La température avoisinait les 49 degrés à bord du S. S. *Mantola* qui progressait lentement vers le sud, le long de la mer Rouge en direction de Port-Soudan. Nous naviguions vent arrière et comme la vitesse de la brise et celle du bateau étaient identiques, il n'y avait pas un souffle d'air à bord. Par trois fois durant la première journée, ils changèrent de cap pour remonter au vent et faire entrer un peu d'air par les hublots et sur les ponts. Le résultat ne fut guère sensible et même les olibrius musclés et bronzés et leurs petites épouses osseuses et coriaces sombrèrent, épuisés, dans un silence apathique. Comme moi, ils étaient étalés, suffocants, sur les chaises longues à l'abri des tauds, et la sueur ruisselait sur leurs visages, leurs cous, leurs bras et s'égouttait de leurs coudes sur le pont en bois. Il faisait même trop chaud pour lire.

Au cours de notre deuxième journée sur la mer Rouge, le *Mantola* passa tout près d'un navire italien qui, comme nous, faisait route vers le sud. Il n'était pas à plus de deux cents mètres de nous et les ponts étaient encombrés de femmes ! Il devait y en avoir plusieurs milliers à bord du navire, et pas un homme en vue. Je n'en croyais pas mes yeux.

—Que se passe-t-il ? demandai-je à l'un des officiers du bateau qui se tenait près de moi le long de la lisse. Pourquoi toutes ces filles ?

—Elles sont destinées aux soldats italiens, répondit-il.

—Quels soldats italiens ?

—Ceux qui sont en Abyssinie. Mussolini essaie de conquérir l'Abyssinie et il a là-bas cent mille soldats. Et, maintenant, il leur expédie des filles pour les distraire.

—Vous me faites marcher…

—Il les expédie par bateaux entiers, reprit l'officier. Une fille pour chaque soldat, deux pour un colonel et trois pour un général.

—Un peu de sérieux, dis-je.

—Elles sont *vraiment* destinées aux soldats, insista-t-il. Cette guerre est tellement immonde et dénuée de sens que les soldats la détestent, et ils en ont marre de massacrer ces malheureux Abyssiniens. Alors Mussolini leur envoie des filles pour leur remonter le moral.

De la main, je saluai les filles sur l'autre bateau et environ deux mille d'entre elles me rendirent mon geste. Elles paraissaient fort joyeuses. Je me demandai combien de temps elles le resteraient.

Le *Mantola* atteignit enfin Mombasa où m'attendait un employé de la compagnie Shell. Il m'annonça que je devais me rendre immédiatement à Dar es-Salaam, au Tanganyika (aujourd'hui, la Tanzanie), plus au sud le long de la côte.

Passage de l'Équateur, mon baptême de la ligne

– Il vous faudra un jour et une nuit pour y arriver, dit-il, et vous voyagerez à bord d'un petit caboteur, le *Dumra*. Voici votre billet.

Je me transférai sur le *Dumra* qui partit le jour même. Ce soir-là, nous fîmes escale à Zanzibar où l'air embaumait, chargé du pénétrant parfum doux et épicé des girofles et, debout à la lisse, je contemplai la vieille ville arabe en me disant que j'avais vraiment bien de la chance de voir sans bourse délier tous ces lieux merveilleux avec en plus une honnête situation à la clé. Nous quittâmes Zanzibar à minuit et j'allai me coucher dans ma minuscule cabine, sachant que le jour suivant ce serait la fin du voyage.

Lorsque je me réveillai le lendemain matin, les machines du bateau étaient arrêtées. Je bondis de ma couchette et me précipitai au hublot. C'était mon premier aperçu de Dar es-Salaam et je ne l'ai jamais oublié. Nous étions au mouillage dans une vaste lagune dont les eaux bleu de nuit ondulaient mollement, ourlée de plages de sable jaune pâle, presque blanc, où déferlaient les rouleaux ; des cocotiers avec leurs petites touffes de feuilles vertes se dressaient sur les plages, ainsi que des casuarinas, ces arbres gigantesques d'une beauté à vous couper le souffle avec leur délicat feuillage gris-vert. Derrière les casuarinas s'étendait ce qui me parut être une jungle, un vaste chaos de végétation vert foncé, plein d'ombres mystérieuses et qui devait grouiller, me disais-je, de rhinocéros, de lions et de toutes sortes de bêtes sauvages. Sur un des côtés se trouvait la minuscule ville de Dar es-Salaam, avec ses maisons blanches, roses et jaunes, et parmi les maisons j'apercevais l'étroit clocher d'une église, le dôme d'une mosquée et, le long du rivage, une rangée d'acacias

Dar es-Salaam, le port

éclaboussés de fleurs écarlates. Une flottille de pirogues ramait dans notre direction pour venir nous chercher et nous amener à terre, et les rameurs noirs chantaient d'étranges mélopées rythmant leurs mouvements.

Tout cet admirable paysage tropical vu à travers le hublot est resté depuis lors photographié dans mon esprit. Pour moi, tout était exaltant et d'une beauté indicible. Et il en fut ainsi durant tout mon séjour au Tanganyika. J'adorais la vie que je menais. Pas de parapluies roulés, pas de chapeaux melon, pas de sombres complets gris et pas une seule fois je n'ai pris un train ou un autobus.

Dans tout ce vaste territoire, il n'y avait que trois jeunes Anglais pour diriger la compagnie Shell, et j'étais le plus jeune et le dernier venu. Quand nous n'étions pas « sur la route », nous vivions dans la vaste et superbe maison de la Shell, perchée en haut des collines, au-dessus de Dar es-Salaam, et nous étions traités comme des princes. Notre domesticité comprenait un cuisinier indigène appelé affectueusement Piggy parce que cuisinier en swahili se dit *mpishi*. Il y avait un *shamba boy* (ou jardinier) appelé Salimu et un *boy* personnel pour chacun d'entre nous. Votre boy, en fait, était une sorte de valet de chambre et d'homme à tout faire. Il savait coudre, raccommoder, laver, repasser, cirer ; il s'assurait qu'il n'y avait pas de scorpions dans vos bottes avant que vous les enfiliez et il devenait votre ami. Il ne s'occupait que de vous et il n'ignorait rien de votre vie et de vos habitudes. En retour, vous veilliez sur lui, ses femmes (jamais moins de deux) et

Dar es-Salaam, la résidence de la Shell

ses enfants qui vivaient dans leurs propres logements à l'arrière de la maison.

Mon boy s'appelait Mdisho. Il appartenait à la tribu des Mwanumwezi, ce qui était d'une grande importance là-bas, car les Mwanumwezi étaient les seuls à avoir jamais vaincu au combat les gigantesques Massaïs. Mdisho, grand et élancé, se déplaçait avec grâce et s'exprimait d'une voix douce. Sa fidélité à mon égard, son jeune maître anglais blanc, était à toute épreuve. J'espère, et je crois, que je lui étais tout aussi dévoué.

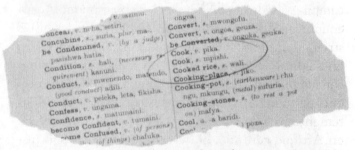

Mon dictionnaire de swahili

Votre première tâche, lorsque vous arriviez à Dar es-Salaam, était d'apprendre le swahili, sinon vous ne pouviez communiquer ni avec votre boy ni avec aucun autre indigène de la région, car aucun d'entre eux ne parlait un mot d'anglais. En cette époque d'obscurantisme de l'Empire, il était considéré comme impertinent de la part d'un Noir de comprendre l'anglais, et encore plus de le parler. Résultat : aucun d'entre eux ne faisait l'effort d'apprendre notre langue, et il nous fallait donc apprendre la leur. Le swahili est une langue relativement simple, et avec l'aide d'un dictionnaire swahili-anglais et d'une grammaire, plus un travail assidu chaque soir, vous pouviez le parler assez couramment en l'espace de deux mois. Vous passiez ensuite un examen et, si vous étiez reçu, la compagnie Shell vous accordait un bonus de cent livres, ce qui représentait une belle somme à une époque où une caisse de whisky ne coûtait que douze livres.

Je devais parfois partir en safari dans le nord du pays et Mdisho m'accompagnait toujours. Nous prenions le camping-car de la Shell et partions pour un mois, parcourant tout le Tanganyika en empruntant des pistes striées de millions de minuscules ornières serrées les unes contre les autres. Quand on roulait en camping-car sur ces ornières, on avait l'impression d'être perché au sommet d'un gigantesque vibrateur. Nous remontions à l'ouest jusqu'au bord du lac Tanganyika, en Afrique centrale, et descendions vers le sud jusqu'aux frontières de Nyassaland, après quoi nous mettions le cap sur Test en direction du Mozambique. Le but de tous ces voyages était de rendre visite aux clients de la Shell. Ces clients dirigeaient des mines de diamants et des mines d'or, des plantations de sisal et de coton et Dieu sait quoi encore ; mon travail consistait à les approvisionner en lubrifiants de toutes sortes et en mazout pour leurs machines. Cela ne demandait pas une grande dose d'intelligence ou d'imagination, mais, nom d'un chien, il fallait être coriace et en bonne santé !

J'adorais cette vie. Il nous arrivait de voir des girafes le long des routes en train de brouter sans crainte le sommet des arbres. Nous apercevions quantité d'éléphants, d'hippopotames, de zèbres et d'antilopes et, plus rarement, des troupes de lions. Les seules créatures dont j'avais peur, c'étaient les serpents. Souvent, nous en repérions un de grosse taille glissant en travers de la route devant la voiture, et la règle d'or était de ne jamais accélérer pour essayer de l'écraser, surtout si le toit de la voiture était ouvert, comme le nôtre l'était la plupart du temps. Si on passe sur un serpent à grande vitesse, la roue avant peut le projeter en l'air et il risque de vous retomber sur les genoux. Je ne peux rien imaginer de pire.

Le serpent le plus dangereux au Tanganyika est le mamba noir. Le seul à qui l'homme n'inspire aucune crainte et qui l'attaquera à vue délibérément. S'il vous mord, vous êtes cuit.

Un matin, j'étais en train de me raser dans la salle de bains de notre maison de Dar es-Salaam et, tout en me savonnant le visage, je contemplais distraitement le jardin par la fenêtre. Je regardais Salimu, notre shamba boy, en train de ratisser méthodiquement le gravier dans l'allée. C'est alors que je vis le serpent. Long d'un mètre quatre-vingts, épais comme mon bras, il était tout à fait noir. C'était bel et bien un mamba et, sans le moindre doute, il avait vu Salimu et se dirigeait droit sur lui en glissant sur les graviers.

Je me ruai vers la fenêtre ouverte et hurlai en swahili :

– Salimu ! Salimu ! *Angalia nyoka kubwa ! Nyuma wewe ! Upesi ! Upesi !*

En d'autres termes : « Salimu ! Salimu ! Attention, énorme serpent ! Derrière toi ! Vite ! Vite ! »

Le mamba avançait sur le gravier à l'allure d'un homme au pas de course et, lorsque Salimu se retourna et le vit, il n'était pas à plus de cinq ou six mètres de lui. Je ne pouvais rien faire. Salimu, lui, savait qu'il était inutile de s'enfuir car un mamba lancé à pleine vitesse avance comme un cheval au galop, et il savait à coup sûr qu'il avait affaire à un mamba. Tous les indigènes du Tanganyika savent à quoi ressemble ce serpent et le danger qu'il représente. Encore cinq secondes et le reptile l'aurait atteint. Penché à la fenêtre, je retenais mon souffle. Salimu pivota pour affronter le serpent. Je le vis se ramasser sur lui-même. Il s'accroupit, une jambe tendue derrière lui comme un coureur prêt à prendre le départ d'un cent mètres, et il tenait pointé devant lui le long râteau. Il le leva à hauteur d'épaules et attendit durant ces quatre ou cinq secondes interminables, parfaitement immobile, regardant le grand serpent noir à la morsure mortelle glisser vers lui sur les graviers. Sa petite tête triangulaire était redressée et je pouvais entendre le léger bruissement des cailloux que son corps déplaçait au passage. J'ai encore devant les yeux cette vision de cauchemar : le soleil matinal sur le jardin, le baobab massif au fond, Salimu dans son vieux short et sa chemise kaki, pieds nus, se tenant, courageux et absolument immobile, le râteau levé entre les mains, et le long serpent noir rampant au sol fonçant droit sur lui, sa petite tête venimeuse haut levée, prête à frapper.

Salimu attendait. Il ne fit pas un geste, n'émit pas un son durant le temps qu'il fallut au serpent pour parvenir jusqu'à lui. Il attendait le dernier moment et lorsque le mamba ne fut plus qu'à un mètre cinquante de lui, *vlan* ! Salimu frappa le premier. Il abattit les dents métalliques du râteau de toutes ses forces sur le milieu du corps du mamba et maintint son instrument, pesant de tout son poids, penché en avant et sautant sur place pour peser davantage sur le râteau et plaquer le serpent au sol. Je vis le sang jaillir de l'animal, là où les dents l'avaient transpercé, puis je me ruai dans l'escalier, nu comme un ver, empoignai un club de golf au passage dans l'entrée et fis irruption dans l'allée où Salimu appuyait toujours à deux mains sur le manche du râteau et où le grand serpent se tordait, se débattait, fouettait le sol de sa queue. Je hurlai alors à Salimu en swahili :

— Qu'est-ce que je dois faire ?

— Tout va bien maintenant, bwana ! me cria-t-il. Je lui ai cassé le dos et il ne peut plus avancer. Écarte-toi, bwana ! Recule et laisse-moi faire !

Salimu releva le râteau et fit un bond de côté ; le serpent continuait à se tordre sur place, mais il ne pouvait plus avancer dans la moindre direction. Le boy s'approcha de lui et d'un geste violent et précis le frappa à la tête avec la partie métallique du râteau. Le serpent soudain s'immobilisa. Salimu poussa un soupir et se passa la main sur le front. Puis il me regarda et sourit.

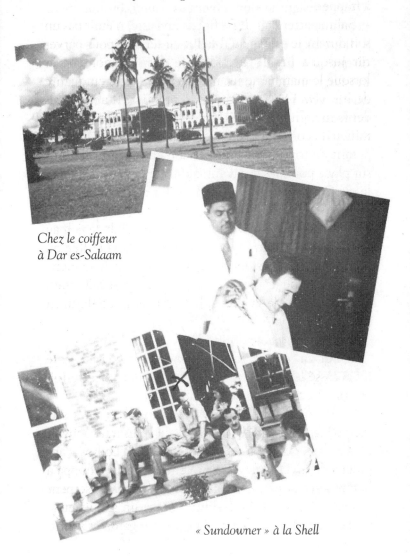

Dar es-Salaam, le palais du gouverneur

*Chez le coiffeur
à Dar es-Salaam*

« Sundowner » à la Shell

– *Asanti, bwana,* dit-il, *asanti sana.*

Ce qui signifie simplement : « Merci, bwana, merci beaucoup. »

Il est bien rare qu'on ait l'occasion de sauver la vie de quelqu'un. Cela me donna un sentiment d'euphorie pour le reste de la journée et, par la suite, chaque fois que je voyais Salimu, ce bien-être m'envahissait de nouveau.

Simba

Un mois environ après l'incident du mamba noir, je partis en safari à l'intérieur du pays dans le vieux camping-car de la Shell, en compagnie de Mdisho, et notre première étape fut la petite ville de Bagomoyo. J'en parle uniquement parce que le nom du commerçant indien que je devais aller voir à Bagomoyo était si merveilleux que je n'ai jamais pu l'oublier. C'était un petit bonhomme affligé d'un énorme ventre rebondi et placé très bas, comme celui d'une femme enceinte de huit mois et demi, et il arborait fièrement devant lui ce gigantesque ballon comme s'il se fût agi d'une médaille spéciale ou d'un blason. Il se faisait appeler Mr Shankerbai Ganderbai, et en haut de son papier à en-tête était imprimé, en lettres majuscules rouges, le titre complet qu'il s'était décerné : *Mr Shankerbai Ganderbai de Bagomoyo, vendeur de décortiqueuses.* Une décortiqueuse est une énorme machine bruyante qui transforme les feuilles de sisal en fibres destinées à la fabrication des cordes, et si vous vouliez en acheter une, l'homme à qui il fallait s'adresser était Mr Shankerbai Ganderbai de Bagomoyo.

Après avoir passé trois autres jours à rouler sur des pistes poussiéreuses et à visiter des clients, Mdisho et moi arrivâmes à la ville de Tabora. Tabora est à environ sept cents kilomètres de Dar es-Salaam, à l'intérieur des terres, et, en 1939, ce n'était pas une véritable agglomération, mais simplement un groupe de maisons disséminées et quelques rues où les commerçants indiens avaient leurs boutiques. Mais comme, d'après les critères du Tanganyika, c'était déjà une ville d'une certaine importance, elle s'honorait de la présence d'un chef de district britannique.

Les chefs de district au Tanganyika constituaient une race que j'admirais. Certes, ils étaient eux aussi musclés et bronzés, mais ce n'étaient pas des olibrius. Tous étaient diplômés d'université de haut rang et, dans leurs avant-postes solitaires, ils devaient assumer tous les rôles vis-à-vis de la population. Ils tenaient lieu de juges dont les décisions réglaient les différends à la fois tribaux et personnels, de conseillers des chefs de tribu. C'étaient eux souvent qui distribuaient les médicaments et sauvaient les malades. Ils administraient leurs vastes districts personnels en y faisant respecter l'ordre et la loi dans les circonstances les plus difficiles. Et partout où il y avait un chef de district, l'homme de la Shell en safari était le bienvenu dans sa maison pour y passer la nuit.

Celui de Tabora s'appelait Robert Sanford. Âgé d'une trentaine d'années, il était marié et avait trois petits enfants : un garçon de six ans, une fille de quatre et un bébé.

Dar es-Salaam
19 mars 1939

Chère maman,
Si la guerre éclate, tu ferais bien d'aller à Tenby, sinon tu seras bombardée. Rappelle-toi, si la guerre éclate, il faut que tu partes…

Ce soir-là, j'étais assis dans la véranda en train de boire un verre avec Robert Sanford et sa femme Mary, tandis que deux des enfants jouaient sur la pelouse devant la maison sous l'œil attentif de leur nounou noire. Avec le coucher du soleil, la canicule devenait moins oppressante et le premier whisky-soda était délicieux à boire.

— Alors, que se passe-t-il à Dar ? me demanda Robert Sanford. Rien de palpitant ?

Je lui racontai l'épisode du mamba noir et de Salimu. Lorsque j'eus terminé, Mary Sanford déclara :

— Voilà ce qui me terrifie le plus dans ce pays, ces horribles serpents.

— Une sacrée chance que vous l'ayez vu derrière lui, commenta Robert Sanford. Il aurait certainement été tué.

— Nous avions un cobra près de la porte de derrière, il n'y a pas si longtemps, dit Mary Sanford. Robert l'a abattu.

La maison des Sanford était bâtie sur une colline en dehors de la ville. C'était une construction en bois à deux étages peinte en blanc avec un toit de tuiles vertes qui débordait largement des murs pour ménager une zone d'ombre et qui donnait un peu à la maison l'aspect d'une pagode japonaise. Le paysage environnant me réjouissait l'œil. C'était une vaste plaine de couleur ocre parsemée de mamelons et de monticules assez imposants et, si elle était couverte d'une maigre végétation brûlée par le soleil, les collines, quant à elles, foisonnaient de grands arbres tropicaux au feuillage luxuriant qui ponctuaient toute la plaine de touches vert émeraude. Sur la plaine elle-même ne poussaient que ces épineux qu'on trouve dans toute l'Afrique orientale et sur chacun d'entre eux étaient perchés cinq ou six énormes vautours. Marron, avec un bec recourbé orange et des pattes orange, ils passaient toute leur vie à guetter et à attendre que meure un animal pour aller ronger sa carcasse.

— Aimez-vous ce genre d'existence ? demandai-je à Robert Sanford.

— J'adore la liberté dont je jouis, répondit-il. J'administre un territoire d'environ vingt-cinq mille hectares et je peux aller où je veux et faire plus ou moins ce qui me plaît. Ce privilège est incomparable. Mais la compagnie d'autres Blancs me manque vraiment. Il n'y a guère d'Européens, même d'intelligence moyenne, en ville.

Nous regardions le soleil descendre derrière la vaste plaine ocrée, parsemée d'épineux et nous pouvions voir les sinistres vautours, croque-morts emplumés attendant la mort qui leur fournirait de la besogne.

— Ne laissez pas les enfants s'écarter autant de la maison ! lança Mary Sanford à la nounou. Ramenez-les plus près, je vous en prie !

– Ma mère m'a envoyé d'Angleterre, la semaine dernière, la *Troisième Symphonie* de Beethoven, déclara Robert Sanford, HMV, deux disques, quatre faces en tout, dirigée par Toscanini. Je me sers d'une épine comme aiguille plutôt que d'une aiguille métallique pour ne pas user les sillons. Ça a l'air de marcher.

– Vous ne trouvez pas que les disques se déforment beaucoup par ici ? demandai-je.

– Je les garde bien à plat sous une pile de livres, répondit-il. Je suis toujours terrifié à l'idée d'en lâcher un et de le casser.

Le soleil était maintenant couché et une douce lumière baignait le paysage. J'apercevais un groupe de zèbres en train de brouter parmi les épineux à environ huit cents mètres. Robert Sanford, lui aussi, observait les zèbres.

– Je me demande toujours, dit-il, s'il serait possible de capturer un jeune zèbre et de le dresser pour le monter comme un cheval. Après tout, ce ne sont que des chevaux sauvages avec des rayures.

– Personne n'a jamais essayé ? demandai-je.

– Pas que je sache. Mary est très bonne cavalière. Qu'est-ce que tu en penses, chérie ? Aimerais-tu avoir ton propre zèbre pour te promener ?

– Ce serait sûrement amusant, dit-elle.

En dépit d'une mâchoire un peu forte, c'était une jolie femme. Son menton accusé ne me gênait pas. Il lui donnait un air volontaire.

– Nous pourrions peut-être en croiser un avec un cheval, suggéra Robert Sanford, et on l'appellerait un zeval.

– Ou un chèbre, ajouta Mary Sanford.

– Parfaitement, acquiesça Robert Sanford souriant.

– Ce serait formidable d'avoir un bébé zeval ou chèbre ! s'exclama Mary Sanford. Oh, mon chéri, si on essayait ?

– Les enfants pourraient le monter, dit-il. Un zeval noir avec des raies blanches partout.

– Est-ce que nous pourrions écouter votre Beethoven après le dîner ? demandai-je.

– Absolument, dit Robert Sanford. Je mettrai le gramophome ici sur la véranda et ces fabuleux accords résonneront dans la nuit sur toute la plaine. Fantastique ! Le seul ennui, c'est que je dois remonter le phono deux fois par face.

– Je le remonterai pour vous, dis-je.

Soudain, la voix d'un homme hurlant en swahili rompit le silence de la soirée. C'était celle de mon boy, Mdisho.

– Bwana ! Bwana ! Bwana ! criait-il quelque part derrière la maison. *Simba*, bwana ! Simba ! Simba !

Simba, c'est le lion en swahili. Nous nous levâmes d'un bond tous les trois et, au même instant, Mdisho fit irruption au coin de la maison en nous criant en swahili :

– Viens vite, bwana ! Viens vite ! Viens vite ! Un gros lion est en train de manger la femme du cuisinier !

Cela peut paraître assez comique écrit après coup en Angleterre, mais sur le moment pour nous, assis sur une véranda au cœur de l'Afrique orientale, ce n'était pas drôle du tout.

Robert Sanford se rua dans la maison et en ressortit au bout de cinq secondes, tenant une puissante carabine dont il actionnait la culasse pour y glisser une cartouche.

– Fais rentrer les enfants dans la maison ! cria-t-il à sa femme en dévalant les marches de la véranda, moi sur ses talons.

Mdisho dansait sur place en indiquant du doigt l'arrière de la maison et il glapissait en swahili :

– Le lion a pris la femme du cuisinier, et le lion est en train de la manger et le cuisinier court après le lion et essaie de sauver sa femme !

Les domestiques vivaient dans une série de bâtiments bas aux murs chaulés derrière la maison et, lorsque nous prîmes le tournant en courant, nous vîmes quatre ou cinq *house boys* qui sautillaient sur place et tendaient le doigt en criant :

– Simba ! Simba ! Simba !

Les boys étaient tous vêtus de boubous de cotonnade blanche immaculés, qui ressemblaient à de longues chemises de nuit, et chacun était coiffé d'un beau tarbouch rouge vif. Le tarbouch est une sorte de pot de fleur renversé, souvent orné d'un pompon noir. Les femmes étaient également sorties de leurs huttes et, formant un groupe à part, regardaient, silencieuses, immobiles.

– Où est-il ? cria Robert Sanford.

Mais sa question était bien inutile car nous repérâmes vite la silhouette blonde et massive du lion à moins de cent mètres, qui s'éloignait en trottant. Il avait une belle crinière ébouriffée et tenait la femme du cuisinier entre ses mâchoires à hauteur de la taille, si bien que la tête et les bras de sa proie pendaient d'un côté et ses jambes de l'autre. La robe à pois rouge et blanc de la victime était bien visible.

Le fauve, très calme, s'éloignait de nous sans hâte, à longues foulées élastiques et, derrière lui, à peine séparé par la longueur d'un court de tennis, le cuisinier dans sa longue tunique blanche, sa toque rouge sur la tête, courait avec courage, agitant le bras comme un moulin à vent; il faisait des bonds, frappait dans ses mains, criait, hurlant sans discontinuer:

– Simba! Simba! Simba! Lâche ma femme!

C'était une scène qui oscillait entre le drame et la comédie. Robert Sanford galopait maintenant à toutes jambes derrière le cuisinier qui lui-même poursuivait le lion. Tenant sa carabine à deux mains, il se mit à crier au cuisinier:

– Pingo! Pingo! Écarte-toi, Pingo! Couche-toi par terre, que je puisse abattre le simba! *Tu me gênes!* Tu me *gênes*, Pingo!

Mais le cuisinier, sourd à ces exhortations, courait toujours, et le lion, superbement indifférent, continuait de s'éloigner souplement de la même allure, la tête haute, portant fièrement la femme dans sa gueule, comme un chien qui s'en va en emportant un os délectable.

Le cuisinier et Robert Sanford progressaient tous deux plus vite que le fauve qui se désintéressait tout à fait, semblait-il, de ses poursuivants. Quant à moi, ne sachant quoi faire pour les aider, je courais derrière Robert Sanford. La situation était délicate car Robert Sanford ne pouvait en aucun cas tirer sur le lion sans risquer d'atteindre la femme du cuisinier, sans parler du cuisinier lui-même qui se tenait toujours dans sa ligne de tir.

Le lion se dirigeait vers les collines couvertes d'une épaisse végétation tropicale et nous savions tous que, une fois disparu parmi les arbres, il serait à jamais introuvable. Le cuisinier, au courage indomptable, était en train de rattraper le lion dont il ne se trouvait plus qu'à une dizaine de mètres. Quant à Robert Sanford, il avait encore trente ou quarante mètres de retard sur le cuisinier.

– Ayee ! hurlait le cuisinier. Simba ! Simba ! Simba ! Lâche ma femme ! Je t'aurai, Simba !

Robert Sanford s'immobilisa soudain et épaula sa carabine et je songeai en moi-même : « Il ne va sûrement pas prendre le risque de tirer sur un lion en mouvement avec une femme en travers de la gueule. »

Une puissante détonation retentit et je vis un petit nuage de poussière jaillir du sol juste devant le lion. Le lion s'arrêta net et tourna la tête, tenant toujours la femme dans ses mâchoires. Il vit le cuisinier qui hurlait et agitait les bras, il vit Robert Sanford, il me vit moi et il avait certainement vu le nuage de poussière et entendu la détonation. Sans doute pensa-t-il qu'il avait toute une armée à ses trousses car il laissa aussitôt tomber la femme du cuisinier et détala. Je n'ai jamais été témoin d'un démarrage aussi foudroyant.

À grands bonds puissants, il se perdit parmi les arbres sur la colline avant même que Robert ait eu le temps de recharger son arme.

Le cuisinier rejoignit sa femme le premier, suivi de Robert Sanford, puis de moi. Je n'en crus pas mes yeux. J'étais sûr que, dans l'étau de ces terribles crocs, la malheureuse avait dû être à demi éventrée mais, assise par terre, elle levait la tête et souriait au cuisinier, son mari.

– Où es-tu blessée ? cria Robert Sanford en se précipitant vers elle.

La femme du cuisinier, toujours souriante, tourna la tête vers lui.

– Le vieux lion ne me faisait pas peur, dit-elle en swahili. J'étais là dans sa gueule et je faisais semblant d'être morte et ses dents n'ont même pas traversé mes vêtements.

Elle se releva et lissa sa robe à pois rouge et blanc, humide de la salive du lion. Le cuisinier l'enlaça et tous deux, dans leur joie, se livrèrent à une petite danse à la lumière du crépuscule dans la vaste plaine brune d'Afrique.

Robert Sanford, bouche bée, considérait la femme du cuisinier. Moi aussi, d'ailleurs, je faisais de même.

– Tu es vraiment sûre que le simba ne t'a pas blessée ? lui demanda-t-il. Ses dents ne te sont pas entrées dans le corps ?

– Non, bwana, répondit la femme en riant. Il m'a portée aussi doucement que si j'avais été un de ses petits. Mais maintenant, il va falloir que je lave ma robe.

Nous retournâmes lentement vers le groupe des spectateurs sidérés.

– Ce soir, déclara Robert Sanford en s'adressant à tous, personne ne doit s'éloigner de la maison, c'est bien compris ?

– Oui, bwana, répondirent-ils. Oui, oui, c'est compris.

– Ce vieux simba se cache là-bas dans les bois, et il pourrait revenir, reprit Robert Sanford. Alors soyez très prudents. Et Pingo, je t'en prie, continue de préparer notre dîner. J'ai faim.

Le cuisinier courut vers la cuisine en frappant dans ses mains et en sautant de joie. Nous rejoignîmes Mary Sanford. Elle avait fait le tour de la maison et avait assisté à toute la scène. Nous regagnâmes tous les trois la véranda et bûmes de nouveau un verre.

– À ma connaissance, il ne s'est jamais rien passé de pareil, dit Robert Sanford en s'asseyant dans son fauteuil canné.

Dans l'accoudoir du fauteuil était creusé un petit trou rond destiné à recevoir un verre et il y posa avec soin son whisky-soda.

– Pour commencer, enchaîna-t-il, les lions n'attaquent pas les humains par ici, à moins qu'ils ne s'approchent de leurs lionceaux. Ils trouvent toute la nourriture qu'ils veulent. Il y a beaucoup de gibier dans la plaine.

– Il a peut-être sa famille dans la forêt sur la colline, suggéra Mary Sanford.

– Peut-être bien, acquiesça Robert Sanford. Mais s'il avait pensé que cette femme menaçait les siens, il l'aurait tuée sur-le-champ. Tout au contraire, il la transporte avec délicatesse, comme un chien d'arrêt qui ramène une perdrix. Si vous voulez mon avis, je suis persuadé qu'il ne voulait pas lui faire de mal.

Assis sur la véranda, nous sirotions nos verres, essayant de trouver une quelconque explication au surprenant comportement du lion.

– Normalement, dit Robert Sanford, je devrais rassembler un groupe de chasseurs au petit jour, demain matin, et nous irions traquer et tuer ce vieux lion. Mais je n'en ai pas envie. Il ne mérite pas ça. En fait, je *ne veux pas* le faire.

– Tu as raison, mon chéri, lui dit sa femme.

L'histoire de cet étrange incident avec le lion se répandit dans toute l'Afrique orientale et devint une sorte de légende. Et, lorsque je fus de retour à Dar es-Salaam environ deux semaines plus tard, une lettre m'attendait, émanant de l'*East African Standard* (c'était, je crois, le nom de ce journal), me demandant si je voulais bien, en tant que témoin visuel, leur écrire un article décrivant la scène. Ce que je fis et je reçus plus tard un chèque de cinq livres pour mon premier texte jamais publié.

S'ensuivit une longue correspondance dans les colonnes du journal. Les lettres émanaient de chasseurs blancs et d'autres experts d'Ouganda, du Kenya et du Tanganyika, chacun ou chacune offrant sa propre explication, souvent bizarre. Mais aucune n'avait de sens. L'affaire à ce jour est demeurée un mystère.

Chère maman,

C'est agréable d'être étendu à écouter de la musique tout en observant les singeries de Hitler et de Mussolini qui sont invariablement au plafond en train d'attraper des mouches et des moustiques. Hitler et Mussolini sont deux lézards qui habitent dans notre salon. Ils sont toujours là et, outre qu'ils sont très utiles dans la maison, ils sont très amusants à regarder. On peut voir Hitler (qui est plus petit que Musso et moins gras) fixant sa malheureuse victime – souvent un papillon – d'un regard hypnotique. Le papillon terrifié ne bouge plus puis, brusquement, si vite qu'on perçoit à peine le mouvement, Hitler tend le cou, pointe une longue langue, et c'est la fin du papillon. Ils sont d'assez petite taille, trente centimètres à peine, ils ont pris la couleur du plafond et des murs qui sont jaunes et ils sont devenus tout à fait transparents. On peut distinguer leurs organes, du moins nous le croyons…

Le mamba vert

Oh, ces serpents, comme je les haïssais ! C'étaient les seuls dangers à redouter au Tanganyika et un nouveau venu apprenait bien vite à identifier la plupart d'entre eux et à différencier les espèces mortelles de celles qui n'étaient que venimeuses. Mis à part les mambas noirs, les tueurs étaient les mambas verts, les cobras et les minuscules aspics qui, immobiles au milieu d'un sentier poussiéreux, ressemblaient à des brindilles sur lesquelles il était si facile de poser le pied.

Un dimanche soir, j'avais été invité à aller boire un verre chez un Anglais du nom de Fuller, employé des douanes à Dar es-Salaam. Il habitait avec sa femme et ses deux petits enfants dans une simple maison blanche en bois, bâtie à l'écart de la route au milieu d'un terrain herbeux et accidenté, environnée de cocotiers. Je marchais dans l'herbe en direction de la maison et j'en étais à une vingtaine de mètres lorsque je vis un gros serpent vert se couler en haut des marches de la véranda et entrer droit dans la maison par la porte ouverte. À sa peau d'un vert-jaune éclatant et à sa grande taille, j'étais sûr d'avoir reconnu un mamba vert, une créature presque aussi dangereuse que le mamba noir et, pendant quelques secondes, je restai pétrifié d'horreur. Puis je me ressaisis et courus vers l'arrière de la maison en hurlant :

– Monsieur Fuller ! Monsieur Fuller !

La tête de Mme Fuller surgit à une fenêtre du premier.

– Que se passe-t-il, grands dieux ? fit-elle.

– Vous avez un gros mamba vert dans la pièce de devant ! lui criai-je. Je l'ai vu monter les marches et franchir la porte !

– Fred ! hurla Mme Fuller en se retournant. Fred ! Viens vite !

Le visage rond et rougeaud de Freddy Fuller apparut à la fenêtre à côté de celui de sa femme.

– Il y a un mamba vert dans votre salon ! criai-je.

Sans hésiter et sans perdre de temps à poser des questions, il répliqua :

– Restez là. Je vais vous passer les enfants l'un après l'autre.

D'un parfait sang-froid, très maître de lui, il n'avait même pas haussé la voix.

Une petite fille me fut tendue, pendue par les poignets et je l'attrapai facilement par les jambes. Un petit garçon suivit. Puis Freddy Fuller fit descendre sa femme que j'attrapai par la taille. Vint ensuite Fuller lui-même. Il se laissa pendre par les mains au rebord de la fenêtre et, lorsqu'il lâcha prise, il atterrit habilement sur ses deux pieds.

Nous étions maintenant réunis en un petit groupe à l'arrière de la maison et j'expliquai à Fuller exactement ce que j'avais vu.

La mère tenait ses enfants par la main, un de chaque côté. Ils ne paraissaient pas particulièrement alarmés.

— Et maintenant qu'est-ce qu'on fait ? demandai-je.

— Allez au bord de la route tous les quatre, dit Fuller. Je vais chercher l'homme aux serpents.

Il s'éloigna au petit trot, monta dans sa vieille voiture noire et démarra.

Mme Fuller, les deux enfants et moi allâmes nous asseoir au bord de la route à l'ombre d'un grand manguier.

— Qui est cet homme aux serpents ? demandai-je à Mme Fuller.

— C'est un vieil Anglais qui vit ici depuis des années, répondit-elle. Il aime les serpents, figurez-vous. Il les comprend et ne les tue jamais. Il les attrape et les vend à des zoos et à des laboratoires dans le monde entier. Tous les indigènes de la région ont entendu parler de lui et, chaque fois que l'un d'eux voit un serpent, il marque l'endroit où il se cache et il accourt, souvent même de très loin, chez l'homme aux serpents pour le prévenir. Alors l'homme aux serpents se rend à l'endroit indiqué et capture l'animal. L'homme aux serpents a comme règle stricte de ne jamais acheter un reptile capturé par un indigène.

— Pourquoi donc ? demandai-je.

— Pour les décourager d'attraper eux-mêmes les serpents, expliqua Mme Fuller. Au début, après son arrivée, il achetait des serpents déjà capturés, mais tant d'indigènes se sont fait mordre en essayant d'en attraper et en sont morts qu'il a décidé d'y mettre le holà. Maintenant si un indigène lui apporte un serpent, même d'une espèce rare, il l'éconduit.

– Ça vaut mieux, dis-je. Comment s'appelle-t-il, cet homme aux serpents ?

– Donald Macfarlane. Je crois qu'il est écossais.

– Le serpent est dans la maison, maman ? demanda la petite fille.

– Oui, ma chérie, mais l'homme aux serpents va le faire sortir.

– Il va mordre Jack, dit la fillette.

– Oh, mon Dieu ! s'écria Mme Fuller en se levant d'un bond. J'ai complètement oublié Jack. Jack ! Jack, viens ici !… Jack… Jack…

Les enfants bondirent également sur leurs pieds et se mirent aussi à appeler le chien. Mais aucun chien n'apparut sur le seuil de la porte.

– Il a mordu Jack ! s'écria la petite fille. Il l'a sûrement mordu !

Et elle se mit à pleurer… Son frère, d'un an ou deux plus jeune, en fit autant. Mme Fuller avait l'air sombre.

– Jack est sûrement allé se cacher là-haut, dit-elle. Il est très malin, tu sais bien.

Mme Fuller et moi nous rassîmes dans l'herbe, mais les enfants restèrent debout. Entre deux crises de larmes, ils continuaient à appeler le chien.

– Voulez-vous que je vous conduise chez les Madden ? leur demanda leur mère.

– Non ! protestèrent-ils. Non, non, non ! Nous voulons Jack !

– Voilà papa ! s'écria Mme Fuller, montrant la petite voiture noire qui remontait la route dans un nuage de poussière.

Je remarquai une longue perche en bois qui dépassait par une des vitres de la voiture. Les enfants se précipitèrent à la rencontre de leur père.

– Jack est dans la maison et il a été mordu par le serpent ! se lamentèrent-ils. On sait qu'il a été mordu ! Il ne vient pas quand on l'appelle.

M. Fuller et l'homme aux serpents descendirent de la voiture. L'homme aux serpents était tout petit et très vieux, plus de soixante-dix ans sans doute. Il portait des bottes en épais cuir de vache et de longs gants à crispin, également en cuir de vache, qui le protégeaient jusqu'au-dessus du coude. Il tenait dans la main droite un instrument extraordinaire : une longue perche en bois se terminant par une fourche. Les deux branches de la fourche étaient, me sembla-t-il, en caoutchouc noir, épais d'environ trois centimètres et malléable ; de toute évidence, si on appuyait la fourche par terre, les deux branches se courbaient vers l'extérieur et la gorge de la fourche devait affleurer le sol. De la main gauche, il portait un sac de toile brune.

Donald Macfarlane, l'homme aux serpents, était peut-être vieux et de petite taille, mais il n'en faisait pas moins une forte impression. Au-dessus de ses yeux bleus, ses sourcils épais étaient blancs comme neige, mais il avait des cheveux noirs à peine striés de gris.

Malgré ses grosses bottes de cuir, il se mouvait comme un léopard, à longues enjambées souples et félines. Il vint droit sur moi et me demanda :

– Qui êtes-vous ?

– Il travaille pour la Shell, déclara Fuller. Il n'y a pas longtemps qu'il est ici.

– Vous voulez me regarder faire ? me demanda l'homme aux serpents.

– Vous regarder ? répliquai-je, hésitant. Vous regarder ? Comment ça, vous regarder ? Je veux dire, d'où ? Pas dans la maison ?

– Vous pouvez monter sur la véranda et m'observer par la fenêtre, dit l'homme aux serpents.

– Venez, dit Fuller. Nous allons regarder tous les deux.

– Ne faites pas d'imprudence, nous lança Mme Fuller.

Les deux enfants attendaient, tristes et abattus, les joues encore humides de larmes.

L'homme aux serpents, Fuller et moi, nous avançâmes dans l'herbe en direction de la maison et, comme nous approchions des marches de la véranda, l'homme aux serpents chuchota :

– Marchez doucement sur les planches en bois sinon il va percevoir les vibrations. Attendez que je sois entré, puis approchez-vous de la fenêtre… très doucement.

L'homme aux serpents monta les marches en premier, avec précaution. Agile et silencieux comme un chat, il traversa la véranda, franchit la porte d'entrée et la referma vivement mais sans bruit derrière lui.

Une fois la porte fermée, je me sentis rassuré. Rassuré pour moi-même, s'entend, pas pour l'homme aux serpents. J'estimais sa conduite suicidaire. Je suivis Fuller sur la véranda et, à pas de loup, nous nous avançâmes vers la fenêtre. Elle était ouverte mais protégée par une fine moustiquaire métallique. Je me sentis encore plus rassuré. Nous jetâmes un coup d'œil à travers les mailles.

Le salon était simple et ordinaire : un tapis de sisal par terre, un divan rouge, une table basse et deux fauteuils. Le chien, un gros Airedale aux poils bouclés bruns et noirs, gisait sous la table. Il était mort.

L'homme aux serpents se tenait parfaitement immobile juste à l'entrée de la pièce. Son sac brun jeté en travers de l'épaule gauche, il tenait la longue perche à deux mains, tendue devant lui, parallèle au sol. Je ne pouvais pas voir le mamba. Je ne pensais pas que l'homme aux serpents l'eût vu lui non plus.

Une minute s'écoula… deux minutes… trois… quatre… cinq… Personne ne bougeait. La mort rôdait dans cette pièce. La mort alourdissait l'atmosphère et l'homme aux serpents restait comme pétrifié, la longue perche tendue devant lui.

Il attendait toujours. Encore une minute… puis une autre… puis une autre.

Je le vis alors qui pliait peu à peu les genoux. Avec une extrême lenteur, il les fléchit jusqu'à se trouver presque accroupi sur le sol et, dans cette position, il essaya de regarder sous le divan et sous les fauteuils.

Mais, apparemment, il ne voyait toujours rien.

Sans hâte, il se redressa puis se mit à tourner la tête dans tous les sens, balayant la pièce de son regard. Dans un angle, tout au fond à droite, un escalier menait au premier. L'homme aux serpents regardait l'escalier et je savais fort bien ce qui se passait dans sa tête. Brusquement, il fit un pas en avant, puis s'immobilisa.

Rien ne se passa.

Et, l'instant d'après, j'aperçus le serpent, étendu de tout son long contre la plinthe du mur de droite mais caché à la vue de l'homme aux serpents par le dossier du canapé. Il était là telle une longue tige de verre couleur émeraude, d'une mortelle beauté, parfaitement inerte, endormi peut-être. Sa petite tête triangulaire posée sur le tapis au pied de l'escalier était tournée à l'opposé de l'endroit où nous nous trouvions à la fenêtre.

Je donnai un coup de coude à Fuller et chuchotai :
– Il est là, contre le mur.

Je lui indiquai l'endroit et Fuller vit le serpent. Il se mit aussitôt à agiter les deux mains, les paumes grandes ouvertes, derrière la fenêtre pour attirer l'attention de l'homme aux serpents. Mais celui-ci ne le voyait pas. « Psitt ! » fit alors Fuller et l'homme aux serpents tourna vivement la tête. Fuller tendit le doigt. L'homme aux serpents montra d'un signe de tête qu'il avait compris.

Il entreprit alors de se rapprocher avec des mouvements à peine perceptibles du mur du fond de façon à apercevoir le serpent derrière le canapé. Il ne marchait pas sur la pointe des pieds comme vous ou moi l'aurions fait ; non, il gardait les pieds bien à plat avec ses bottes de cuir, sans semelles ni talons, tels des mocassins. Petit à petit, il progressait en direction du mur et put enfin entrevoir au moins la tête du mamba et soixante ou soixante-dix centimètres de son corps.

Mais le serpent l'avait vu lui aussi. Dans un sursaut foudroyant, il redressa la tête à environ soixante centimètres du sol et tout le haut de son corps se recourba en arrière, prêt à frapper. Presque simultanément, il se mit à décrire une série d'ondulations, se ramassant sur lui-même pour l'attaque.

L'homme aux serpents était un tout petit peu trop loin du mamba pour pouvoir l'atteindre avec sa perche. Il attendit, le regard rivé sur le serpent qui le fixait lui aussi de ses féroces petits yeux noirs.

L'homme aux serpents se mit alors à parler au reptile.

– Viens, mon joli, chuchotait-il d'une voix cajoleuse. Tu es un bon petit. Personne ne va te faire de mal, mon trésor. Reste bien tranquille…

Il avança d'un pas en direction du serpent, tenant la perche devant lui.

La réaction du serpent fut si soudaine que le tout ne dura pas plus d'un centième de seconde, comme le déclic de l'obturateur d'un appareil photo. Il y eut un éclair vert tandis que le serpent se détendait en avant d'au moins trois mètres pour attaquer la jambe de l'homme aux serpents. Personne n'aurait pu esquiver cette attaque. J'entendis la tête du serpent cogner avec un petit bruit mat contre l'épaisse botte de cuir et presque aussitôt elle se rejeta en arrière dans la même position meurtrière, prête à frapper de nouveau.

– Allons, mon gentil, chuchota doucement l'homme aux serpents. Allons, petit malin ! Allons, mon mignon ! Il ne faut pas t'exciter comme ça ! Reste calme et tout ira bien. (Tout en parlant, il abaissait lentement l'extrémité de la perche jusqu'à ce que la fourche ne fût plus qu'à vingt-cinq centimètres au-dessus du milieu du corps du serpent.) Ah, le bon petit ! Qu'il est gentil, ce petit. Ne bouge pas, ma beauté. Ne bouge pas, mon joli. Tiens-toi tranquille. Papa ne te fera pas de mal.

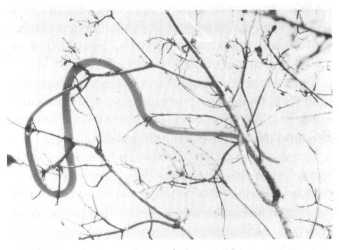

Un mamba vert !

Je voyais une mince traînée sombre de venin couler sur sa botte droite là où le serpent avait frappé.

Le serpent, arqué, tête dressée, tendu comme un ressort, était prêt à jaillir à nouveau.

– Ne bouge pas, mon joli, chuchota l'homme aux

serpents. Reste tranquille. Du calme. Personne ne va te faire de mal.

Et *bang*! La fourche de caoutchouc s'abattit sur le corps du reptile, à peu près au milieu, le bloquant contre le sol. Tout ce que je pus voir, ce fut un tourbillon vert, le serpent se débattant furieusement pour essayer de se libérer. Mais l'homme aux serpents ne relâchait pas sa pression sur la fourche et le serpent était pris au piège.

« Que va-t-il se passer maintenant ? » me demandai-je. Il ne pouvait en aucun cas attraper à la main ce muscle vert qui se tordait et fouettait l'air dans tous les sens et, même s'il avait pu, la tête aurait sûrement pivoté sur elle-même pour le mordre au visage.

Tenant la perche de deux mètres cinquante par l'extrémité, l'homme aux serpents commença à décrire un arc de cercle pour se retrouver du côté de la queue du serpent. Puis, malgré les contorsions démentes de l'animal, il entreprit de pousser la fourche vers la tête du reptile. Il procédait avec une extrême lenteur, faisant coulisser la fourche le long du corps en convulsion, gardant en permanence le serpent coincé contre le sol, poussant, poussant la longue perche en avant millimètre par millimètre. Ce petit bonhomme aux sourcils blancs et aux cheveux noirs pesant avec son engin sur le reptile agité de soubresauts offrait un spectacle à la fois terrible et fascinant. Le serpent fouettait de sa queue le tapis de sisal et faisait un tel bruit que, du premier étage, on aurait pu croire que deux hommes robustes étaient en train de se battre.

Les branches de la fourche parvinrent enfin juste derrière la tête, l'immobilisant, et l'homme aux serpents tendit alors une main gantée et empoigna fermement le serpent par le cou. Puis il jeta la perche et, de sa main libre, il prit le sac sur son épaule. Il souleva ensuite le long corps toujours ondulant furieusement du meurtrier serpent vert et glissa la tête dans le sac. Puis il lâcha la tête, fourra tout le reste du corps à l'intérieur et ferma le sac. Le sac se mit à tressauter comme s'il avait contenu une cinquantaine de rats furieux, mais l'homme aux serpents était maintenant tout à fait détendu et il tenait son fardeau d'une main négligente comme s'il portait un simple sac de pommes de terre. Il se baissa pour ramasser sa perche par terre puis se tourna vers la fenêtre d'où nous l'observions.

– Dommage pour le chien, dit-il. Vous feriez bien de l'enlever avant que les enfants le voient.

Le début de la guerre

Le petit déjeuner à Dar es-Salaam ne variait jamais. Il consistait toujours en une délicieuse papaye bien mûre cueillie le matin même dans le jardin par le cuisinier et sur laquelle on pressait le jus d'un citron vert. Tous les Blancs, hommes ou femmes, du Tanganyika prenaient une papaye arrosée de citron vert pour le petit déjeuner, et tous ces vieux coloniaux, j'en suis sûr, savaient fort bien ce qui était bon pour eux. Je ne connais pas de petit déjeuner plus sain et plus rafraîchissant.

Un matin vers la fin du mois d'août 1939, j'étais en train de déguster ma papaye, songeant comme tout le monde au conflit qui menaçait d'éclater, nous le savions tous, avec l'Allemagne. Mdisho circulait dans la pièce, faisant mine de s'affairer.

– Tu savais que nous allons bientôt avoir la guerre ? lui demandai-je.

– Une guerre ? fit-il, immédiatement intéressé. Une vraie guerre, bwana ?

– Une énorme guerre, dis-je.

Le visage de Mdisho s'était illuminé. Il appartenait à la tribu des Mwanumwezi, et il n'existait nulle part un seul Mwanumwezi qui n'eût le goût du combat dans le sang. Pendant des centaines d'années, ils avaient été les plus grands guerriers de l'Afrique orientale, conquérants, vainqueurs des Massaïs eux-mêmes, et, maintenant, la seule mention du mot guerre faisait naître de tels rêves de gloire dans l'esprit de Mdisho qu'il était au comble de l'excitation.

– J'ai encore les armes de mon père dans ma case ! s'écria-t-il. Si j'allais chercher la lance pour l'affûter ? Qui allons-nous combattre, bwana ?

– Les Germani, répondis-je.

– Très bien, dit-il. Il y a encore plein de Germani dans le coin qu'on va pouvoir tuer.

Mdisho avait raison ; il y avait en effet beaucoup d'Allemands dans la région. Vingt ans plus tôt seulement, avant la Première Guerre mondiale, le Tanganyika avait été l'Afrique orientale allemande. Mais, en 1919, après l'armistice, l'Allemagne avait été contrainte de céder ce territoire aux Anglais qui le rebaptisèrent Tanganyika. Nombre d'Allemands étaient restés et le pays en était encore peuplé. Ils possédaient des mines d'or et de diamants. Ils cultivaient le sisal, le coton, le thé et les cacahuètes. Le propriétaire de l'usine de mise en bouteilles de l'eau de Seltz à Dar es-Salaam était allemand, ainsi que Willy Hink, le fabricant de montres. En fait, les Allemands étaient plus nombreux au Tanganyika que tous les autres Européens réunis et, lorsque la guerre éclaterait, comme nous savions que c'était inévitable, ils pourraient poser un problème dangereux et difficile pour les autorités.

Dar es-Salaam
dimanche (pas de date)

Chère maman,

La semaine dernière, j'ai enfin succombé à la malaria et je me suis mis au lit mercredi soir avec un mal de crâne épouvantable et 39 °C de fièvre. Le lendemain, j'avais 40 °C et vendredi 41 °C. Ils ont un nouveau truc merveilleux, appelé Atebrine, qu'ils vous injectent sur-le-champ dans la fesse en grande quantité, ce qui fait aussitôt baisser la température ; ils vous font alors une piqûre de 15 ou 20 grammes de quinine et, arrivé à ce stade, vous n'avez plus de postérieur du tout – un côté est réservé à l'Atebrine, l'autre à la quinine.

Quand tu recevras cette lettre, la guerre, je suppose, aura été déclarée ou évitée, mais, pour le moment, il règne, même ici, une certaine agitation. Nous sommes tous devenus des officiers temporaires de l'armée, avec des sticks, des ceinturons et toutes sortes d'instructions secrètes. Si nous quittons la maison, nous devons laisser un message indiquant où nous sommes allés pour que l'on puisse nous joindre immédiatement. Nous savons exactement où nous devons nous rendre s'il se passe quoi que ce soit, mais tout est très secret et, comme je ne sais pas si nos lettres sont censurées ou non, je ne te dirai rien de plus. Mais si la guerre éclate, nous aurons pour tâche de rassembler tous les Allemands qui se trouvent ici, et après ça, tout devrait être assez calme…

– Quand est-ce que cette énorme guerre va commencer ? me demanda Mdisho.

– Bientôt, paraît-il, parce qu'en Europe, qui est dix fois aussi loin que d'ici au Kilimandjaro, les Allemands ont un chef appelé bwana Hitler qui veut conquérir le monde. Les Allemands trouvent ce bwana Hitler formidable. Mais, en vérité, c'est un fou furieux. Dès que la guerre éclatera, les Germani essaieront de nous tuer, et alors, bien sûr, nous devrons essayer, nous, de les tuer avant qu'ils ne nous tuent.

Mdisho, en vrai enfant de sa tribu, comprenait très bien le principe de la guerre.

– Pourquoi est-ce qu'on n'attaque pas les premiers ? demanda-t-il, tout excité. Pourquoi ne pas les prendre par surprise tous ces Germani, bwana ? Pourquoi ne pas tous les tuer avant que la guerre commence ? C'est toujours la meilleure méthode, bwana. Mes ancêtres attaquaient toujours les premiers.

– J'ai bien peur que nous n'ayons des règles très strictes en ce qui concerne la guerre, dis-je. Chez nous, personne n'a le droit de tuer avant qu'on ait donné un coup de sifflet et que le match soit officiellement commencé.

– Mais c'est ridicule, bwana ! s'écria-t-il. Dans la guerre, il n'y a pas de règles ! La seule chose qui compte, c'est de gagner !

Mdisho n'avait que dix-neuf ans. Il était né et avait grandi à près de onze cents kilomètres de Dar es-Salaam, près d'un endroit appelé Kigoma, sur les bords du lac

Tanganyika et il n'avait pas douze ans à la mort de ses parents. Il avait été recueilli par un charitable chef de district à Kigoma et était devenu assistant du shamba boy. De là, il avait été promu au rang de house boy et avait charmé tout le monde par ses bonnes manières et sa douceur de caractère. Quand le chef de district avait été nommé à la chancellerie de Dar es-Salaam, la famille avait emmené Mdisho. Environ un an plus tard, le chef de district avait été transféré en Égypte et le pauvre Mdisho s'était retrouvé brusquement sans travail et sans foyer ; il avait néanmoins en sa possession un précieux document : une élogieuse lettre de recommandation de son ancien employeur. Ce fut à cette époque que j'eus la chance de le trouver et de l'engager. J'en fis mon boy personnel et bientôt entre nous naquit une amitié que je trouvais assez merveilleuse.

Mdisho ne savait ni lire ni écrire et il lui était impossible d'imaginer que le monde s'étendait au-delà des rives du continent africain. Mais il était de toute évidence intelligent et doué pour l'étude. J'avais donc entrepris de lui apprendre à lire. Chaque jour de la semaine, lorsque je rentrais du bureau, nous consacrions trois quarts d'heure à la lecture. Il faisait de rapides progrès et, bien que nous en fussions encore aux mots isolés, nous allions bientôt aborder des phrases courtes. J'insistais pour lui apprendre à lire et à écrire non seulement des mots en swahili, mais aussi leurs équivalents en anglais, si bien qu'il commençait à parler un anglais rudimentaire. Il adorait prendre ses leçons et c'était touchant de le trouver assis à la table de la salle à manger lorsque je rentrais le soir, son livre d'exercice déjà ouvert devant lui.

Mdisho mesurait un mètre quatre-vingts. Il était superbement bâti, avec un visage au nez épaté et les dents les plus éclatantes de blancheur que j'aie jamais vues.

— Il est très important de respecter les règles de la guerre, lui dis-je. Aucun Germani ne peut être tué avant que la guerre ait été correctement déclarée. Et même alors, avant de tuer un ennemi, il faut lui laisser une chance de se rendre.

— Et comment nous saurons que la guerre est déclarée ? me demanda Mdisho.

— Les Anglais nous l'annonceront par la radio, dis-je. Nous serons tous prévenus en quelques secondes.

— Et alors on va s'amuser ! s'écria-t-il en tapant dans ses mains. Oh, bwana, vivement que ça commence !

— Si tu veux te battre, il faut d'abord devenir un soldat, lui dis-je. Tu devrais t'engager dans le régiment du Kenya et devenir un askari.

Un askari était un soldat du King's African Rifles, le KAR.

— Les askaris ont des fusils et, moi, je ne sais pas me servir d'un fusil, dit-il.

— Ils t'apprendront. Ça te plaira beaucoup, peut-être.

— Ce serait pour moi une grave décision à prendre, bwana, dit-il. Il faudra que j'y pense beaucoup.

Quelques jours plus tard, l'atmosphère devint électrique à Dar es-Salaam. La guerre, de toute évidence, était imminente et des plans élaborés étaient dressés pour rassembler dès le début des hostilités les centaines d'Allemands qui vivaient à Dar es-Salaam et à l'intérieur du pays. Il n'y avait pas beaucoup de jeunes Anglais à Dar, quinze ou vingt au maximum, et nous reçûmes tous l'ordre de quitter nos emplois et de devenir, par quelque procédé magique, des officiers temporaires de l'armée. On me donna un brassard rouge et une section d'askaris à commander, mais n'ayant jamais été soldat de ma vie, sauf dans la cour de l'école, je me sentais plutôt embarrassé d'avoir la charge de vingt-cinq soldats surentraînés, équipés de fusils et d'une mitrailleuse.

Je fus convoqué à la caserne militaire de Dar es-Salaam où un capitaine britannique du KAR me donna mes instructions. Il était assis derrière une table de bois, coiffé de sa casquette, dans un baraquement en tôle ondulée où régnait une chaleur suffocante. Il avait une petite moustache châtain bien taillée qui ne cessait de frémir lorsqu'il parlait.

– Dès la déclaration de guerre, dit-il, tous les Allemands mâles doivent être rassemblés à la pointe du fusil et internés dans le camp de prisonniers. Le camp est prêt, et les Allemands le savent, aussi nombre d'entre eux essaieront de fuir le pays avant qu'on ne les attrape. Le territoire neutre le plus proche, c'est l'Afrique orientale portugaise, et une seule route y conduit depuis Dar es-Salaam : la route côtière descendant vers le sud. Vous la connaissez ?

Je lui répondis que je la connaissais très bien.

– Tous les Allemands de Dar es-Salaam vont essayer de filer par cette route à l'instant même où la guerre sera déclarée, reprit le capitaine. Ce sera votre devoir de les en empêcher, de les rassembler et de les ramener au camp de prisonniers.

– Qui, *moi* ? m'écriai-je, atterré.

– Vous et votre section. Nous n'avons plus un seul homme disponible. Il nous faut couvrir tout le pays. Choisissez judicieusement une position défensive et déployez vos hommes en les mettant à couvert. Certains parmi les Allemands essaieront peut-être de forcer leur passage à coups de feu.

– Vous voulez dire que moi et ma section, nous allons à nous seuls essayer d'arrêter tous les Allemands de Dar ?

– Ce sont là vos instructions, confirma-t-il.

– Mais il doit y en avoir des centaines !

– Effectivement, dit-il, avec un sourire torve.

– Et que se passe-t-il s'ils sont bel et bien armés et qu'ils livrent combat ? demandai-je.

– Descendez-les, répondit le capitaine. Vous avez une mitrailleuse, pas vrai ? Une mitrailleuse peut venir à bout de cinq cents hommes armés de fusils.

Je commençai à me sentir nerveux. Je ne voulais pas être celui qui donnerait l'ordre de faucher cinq cents civils là-bas sur la route côtière conduisant à l'Afrique orientale portugaise.

– Et s'ils ont avec eux leurs femmes et leurs enfants ? insistai-je.

– Vous devrez agir selon votre jugement, répondit-il, éludant la question.

– Mais… mais… bégayai-je, cette route est la plus importante pour fuir le pays. Ne pensez-vous pas que cette tâche incomberait plutôt à vous ou à un autre officier de l'armée régulière ?

– Nous sommes tous débordés, dit le capitaine.

Je refis une tentative :

– Je ne suis pas qualifié pour ce genre d'action, dis-je. Je suis un simple employé de la Shell…

– Ridicule ! aboya-t-il. Allez, filez maintenant. Nous comptons sur vous !

Je filai donc.

Ayant trouvé un téléphone, j'appelai Mdisho à la maison pour lui dire de ne pas m'attendre et que je ne savais pas quand je rentrerais.

– Je sais où tu vas, bwana ! cria-t-il dans l'appareil. Tu vas chasser les Germani. Pas vrai ?

– Eh bien, nous verrons, répondis-je.

– Laisse-moi venir avec toi, bwana ! Oh, je t'en prie, laisse-moi venir avec toi !

– J'ai bien peur que ce ne soit pas possible cette fois, Mdisho. Il va falloir que tu restes et que tu t'occupes de la maison.

– Sois prudent, bwana, dit-il. Fais attention qu'ils ne te tuent pas.

Je sortis dans la cour de la caserne où ma section m'attendait. Les askaris avaient fière allure dans leurs shorts et leurs chemises kaki, alignés au garde-à-vous entre deux camions ouverts, leurs fusils au côté. Dès que j'arrivai, le sergent me salua, puis donna aux hommes l'ordre de monter dans les camions. Je m'assis dans la cabine à l'avant entre le conducteur et le sergent et nous traversâmes la ville pour gagner la route côtière qui conduisait au Mozambique, en Afrique orientale portugaise. Dans le deuxième camion, les askaris avaient mis un énorme rouleau de câble téléphonique qu'ils allaient dérouler le long de la route pour que je puisse rester en contact avec le quartier général et être prévenu à l'instant même du déclenchement de la guerre. Là-bas, il n'y avait pas de radios pour ce genre de messages.

– Quelle longueur de câble avez-vous ? demandai-je au sergent. Jusqu'où pouvons-nous aller ?

– Pas plus de quatre kilomètres, bwana, répondit-il avec un large sourire.

À la sortie de Dar es-Salaam, nous stoppâmes devant une hutte où attendaient deux hommes des transmissions. Ils ouvrirent la porte et branchèrent notre câble téléphonique sur une prise à l'intérieur. Ensuite, nous repartîmes, roulant à petite allure tandis que les deux hommes guidaient le câble téléphonique le long du talus herbeux. La route suivait le littoral de l'océan Indien et l'eau était calme, vert pâle et translucide. Je distinguais les fonds sableux loin au large, et sur la petite bande de sable entre nous et la mer poussaient les éternels cocotiers dont les palmes se balançaient contre un ciel bleu incandescent. Une légère brise de mer soufflait dans la cabine de notre camion. Le paysage était d'une incroyable beauté.

Au bout d'environ trois kilomètres, nous arrivâmes à un endroit où la route se mettait à grimper en pente raide et s'incurvait vers l'intérieur des terres, coupant à travers une jungle très épaisse.

– Si on se postait là-bas dans les arbres ? suggérai-je au sergent.

– Très bon emplacement, dit-il.

Nous stoppâmes donc à l'endroit où la route s'engageait dans la jungle et nous descendîmes des véhicules.

– Laissez les camions en travers de la route, dis-je au sergent, et veillez à ce que chaque homme occupe une position invisible à l'orée de la forêt. La mitrailleuse et tous les fusils devraient pouvoir couvrir la route, juste au-delà du barrage.

Une fois les dispositions prises, j'entraînai le sergent à part et eus une petite conversation avec lui en swahili.

– Écoutez, sergent, lui dis-je, vous vous rendez bien compte, n'est-ce pas, que je ne suis pas un soldat ?

– Oui, bwana, répondit-il.

– Alors, si vous me voyez faire une idiotie, je vous en prie, dites-le-moi.

– D'accord, bwana.

– Êtes-vous satisfait de nos positions ?

– Je pense que c'est parfait ainsi, bwana, dit-il.

Nous attendîmes donc tout l'après-midi que le téléphone de campagne sonne. Assis par terre à l'ombre près du téléphone, je fumais ma pipe. Je me rappelle que je portais une chemise kaki, un short kaki, des bas kaki et des chaussures marron et que j'arborai un casque colonial kaki. Cette tenue, classique pour les civils là-bas, était très confortable. Mais, pour le confort intérieur, il en était tout autrement. J'avais vingt-trois ans et on ne m'avait pas encore appris à tuer qui que ce soit. Je n'étais pas vraiment sûr que je pourrais donner l'ordre d'ouvrir le feu de sang-froid sur une bande de civils allemands si la situation l'exigeait. Je me sentais donc très mal dans ma peau.

Le soir tomba sans que le téléphone eût sonné.

Il y avait un fût de deux cents litres d'eau potable à bord de l'un des camions et chacun se servit à boire. Puis le sergent alluma un feu avec du bois et commença à préparer le dîner de ses hommes. Il mit à cuire du riz dans une énorme marmite et, pendant que le riz bouillait, il prit dans le camion un régime de bananes. Arrachant les fruits de la tige centrale, il les pela, les coupa en rondelles et les ajouta au riz. Lorsque le plat fut prêt, chaque askari sortit sa gamelle et sa cuillère et le sergent servit à tous de substantielles portions avec une louche. Jusqu'à ce moment-là, je n'avais pas songé à ma propre subsistance et n'avais en tout cas rien apporté. Regarder les hommes manger me donna faim.

– Vous pensez que je pourrais en avoir un peu ? demandai-je au sergent.

– Oui, bwana, dit-il. Vous avez une assiette ?

– Non.

Il me trouva donc une gamelle et une cuillère et me servit une énorme portion. C'était absolument délicieux. Le riz, non décortiqué, était brun et les grains bien détachés. Les tranches de bananes, chaudes et sucrées, donnaient au riz une consistance moelleuse, un peu comme du beurre. Je n'avais jamais mangé un plat de riz aussi bon et je n'en laissai pas une miette, oubliant complètement les Allemands.

– Merveilleux, dis-je au sergent. Vous êtes un cuisinier remarquable.

– Quand nous sommes loin de nos cantonnements, répondit-il, il faut que je nourrisse mes hommes. C'est une chose qu'on doit apprendre quand on est nommé sergent.

– C'est vraiment fameux, ajoutai-je. Vous devriez ouvrir un restaurant. Vous deviendriez riche.

Tout autour de nous dans la forêt, les grenouilles coassaient sans discontinuer. Les grenouilles africaines ont un cri particulièrement sonore et grinçant et, même lorsqu'elles sont très éloignées, le son semble provenir de quelque part à proximité de vos pieds. Le chant des grenouilles est la musique nocturne de la côte d'Afrique orientale. En fait, seule la grenouille mâle coasse en gonflant ses vessies vocales et en les laissant se dégonfler avec un *beurp!* rauque. C'est son chant d'amour et, lorsque la femelle l'entend, elle se précipite à sauts agiles aux côtés de son futur époux. Mais, lorsqu'elle le rejoint, elle ne reçoit pas l'accueil qu'elle espérait. Loin de se tourner vers elle, le mâle l'ignore complètement et continue à lancer sa chanson vers les étoiles pendant qu'elle attend, résignée, à côté de lui. Le mâle chante, chante, chante à pleine gorge, souvent durant des heures et voici pourquoi : il est tombé si éperdument amoureux de sa propre voix qu'il a complètement oublié la raison de ses coassements. Nous savons, quant à nous, qu'il a commencé en proie au désir. Mais il est maintenant sous le charme de l'envoûtante musique qui s'élève de sa gorge et plus rien n'existe pour lui, pas même la femelle haletante près de lui. Le moment vient, néanmoins, où celle-ci perd patience et elle se met à le pousser sans ménagement avec sa patte avant, et c'est alors seulement que le mâle sort de sa transe et se tourne vers elle pour l'étreindre.

Enfin… La grenouille mâle, songeai-je, assis dans cette forêt obscure, n'est après tout pas tellement différente de bien des mâles humains de ma connaissance.

J'empruntai une couverture de l'armée au sergent et m'installai pour la nuit à côté du téléphone. Je pensais fugitivement aux serpents et me demandais combien ils étaient à ramper dans cette forêt. Des milliers, sans doute. Mais si les askaris prenaient ce risque, pourquoi pas moi ?

Le téléphone resta silencieux durant la nuit et à l'aube le sergent ralluma son feu et fit de nouveau cuire du riz aux bananes. Si tôt le matin, il ne me parut pas aussi bon.

Peu après sept heures, la sonnerie du téléphone fit sursauter tout le monde. La voix à l'autre bout du fil m'annonça :

– La Grande-Bretagne a déclaré la guerre à l'Allemagne. Vous êtes maintenant en état d'alerte.

Dar es-Salaam
vendredi 15 septembre

Chère maman,

Excuse-moi de ne pas t'avoir écrit depuis des siècles, mais comme tu peux bien t'en douter, il règne une certaine agitation par ici. Maintenant tous les Allemands du territoire, et c'est une surface bien vaste pour essayer de les attraper, ont été placés dans un camp d'internement. Et c'est nous autres officiers de l'armée qui étions chargés de les rassembler. Au moment où la guerre a éclaté vers une heure et quart dimanche après-midi, l'alerte a été donnée sur une série de téléphones et certains responsables se sont précipités pour rassembler leurs équipes et se présenter aux autorités pour être armés et recevoir leurs instructions. À ce moment-là, j'étais en train de garder la route qui longe la côte sud jusqu'à Kilwa et Lindi avec des soldats indigènes (les askaris) et nous avions dressé un barrage en travers de la route. Brusquement j'ai entendu une voix sévère dans le téléphone de campagne qui disait : « La guerre a été déclarée – à vos postes – arrêtez tous les Allemands tentant de sortir du pays ou d'y entrer. » Et alors, la fête a commencé. Mieux vaut ne pas t'en dire plus, sinon la censure risquerait d'arrêter ma lettre...

Et on raccrocha. Je dis au sergent de mettre tous ses hommes en position. Pendant une heure environ, il ne se passa rien. Les askaris attendaient, leurs fusils à portée de main, et j'attendais, à découvert, à côté des deux camions qui barraient la route.

Soudain, j'aperçus au loin un nuage de poussière. Un peu plus tard, je distinguai la première voiture, et juste derrière une deuxième, puis une troisième et une quatrième. Tous les Allemands de Dar avaient dû prendre des dispositions pour se rassembler et voyager en convoi dès que la guerre serait déclarée, car je distinguais maintenant une colonne de véhicules, espacés de vingt mètres environ les uns des autres, s'étirant sur près d'un kilomètre le long de la route. Il y avait des camions chargés de bagages, des conduites intérieures ordinaires avec des meubles arrimés sur le toit, des camionnettes et des breaks. J'appelai le sergent qui sortit de la forêt.

— Les voilà, dis-je, et ils sont nombreux. Je veux que vous restiez cachés avec les hommes. J'attendrai ici pour accueillir les Allemands. Si je lève les deux bras au-dessus de ma tête, comme ça, la mitrailleuse et les fusils devront tirer une rafale au-dessus de la tête de ces gens. Pas sur eux, c'est bien compris, mais au-dessus de leurs têtes.

— Oui, bwana, une rafale au-dessus de leurs têtes.

— S'ils usent de violence envers moi et essaient de forcer le passage, vous prendrez alors le commandement et vous devrez faire ce que vous jugez bon.

— Oui, bwana, dit le sergent, se réjouissant de cette perspective.

Il retourna dans la forêt. Debout au milieu de la route, j'attendis que la première voiture arrive à ma hauteur. C'était un gros break Chevrolet. Outre le conducteur, il y avait deux autres hommes assis à côté de lui sur la banquette avant. Le reste du véhicule était rempli de bagages. Je levai une main pour l'arrêter, il obtempéra. Je me dirigeai vers la vitre du côté conducteur, me faisant l'effet d'un agent de la circulation.

– Je crains que vous ne puissiez aller plus loin, déclarai-je. Vous et les autres devez faire demi-tour et retourner à Dar es-Salaam. Un de mes camions vous précédera. L'autre suivra à l'arrière du convoi.

– Gu'est-ce gue c'est gue zette gonnerie ? vociféra l'homme avec un fort accent allemand. (Entre deux âges, il avait un épais cou de taureau et un crâne presque chauve.) Décachez la route de ces gamions ! On va passer !

– Je crains que non, déclarai-je. Vous êtes maintenant prisonniers de guerre.

Le chauve descendit lentement de la voiture. Il était furieux et son attitude se faisait menaçante. Les deux autres descendirent à leur tour. Le chauve se tourna et leva le bras en direction des cinquante et quelques véhicules alignés derrière lui et aussitôt, un homme, parfois deux, sortirent de chacun et se dirigèrent vers nous. Il y avait également des femmes et des enfants dans nombre de voitures, mais ils ne bougèrent pas.

Je n'aimais pas du tout la tournure que prenaient les événements. Qu'allais-je faire, me demandai-je, s'ils refusaient de faire demi-tour et tentaient de forcer le passage ? Je compris aussitôt que je ne pourrais jamais me résoudre à donner l'ordre de les faucher à la mitrailleuse. C'eût été un massacre épouvantable. Je demeurai immobile et silencieux.

En quelques minutes, une foule d'au moins soixante-dix Allemands se tenait en demi-cercle derrière le chauve qui, manifestement, s'était institué leur chef.

Le chauve se détourna de moi pour s'adresser à ses compatriotes.

– Très bien, dit-il. Dégageons la route de ces deux camions et repartons.

– Un instant ! dis-je, essayant de prendre le ton d'un homme ayant le double de mon âge. J'ai ordre de vous empêcher de passer à n'importe quel prix. Si vous essayez quand même, nous devrons tirer.

– Qui tirera ? demanda le chauve avec mépris.

Il sortit un pistolet de la poche arrière de son pantalon kaki et je vis à la longueur de son canon que c'était un Luger. Aussitôt, la moitié au moins des soixante-dix et quelques hommes qui l'entouraient dégainèrent des armes identiques. Le chauve braqua son Luger sur ma poitrine.

J'avais déjà vu ce genre de scène mille fois au cinéma mais, dans la vie réelle, l'impression était toute différente. J'étais tout bonnement terrifié. M'efforçant de n'en rien laisser paraître, je levai alors les deux bras au-dessus de ma tête. Le chauve sourit. Il crut que c'était un geste de reddition.

Pan ! Pan ! Pan ! Toutes les armes derrière moi, y compris la mitrailleuse, ouvrirent le feu et les balles passèrent en sifflant au-dessus de nos têtes. Les Allemands sautèrent en l'air. Ils sautèrent littéralement en l'air. Le chauve aussi. Et moi de même.

Je baissai les bras.

– Vous ne pouvez absolument pas passer, dis-je. Le premier qui tentera d'avancer sera abattu. Si vous essayez tous de passer, vous serez tous abattus. Tels sont les ordres que j'ai reçus. J'ai là-bas suffisamment de puissance de feu pour arrêter un régiment.

Un silence absolu s'ensuivit. Le chauve abaissa son Luger et brusquement changea d'attitude. Me gratifiant d'un sourire contraint, il demanda d'un ton doucereux :

– Pourguoi fous ne nous laissez bas basser ?

– Parce que nous sommes en guerre avec l'Allemagne, dis-je, que vous êtes tous de nationalité allemande, et par conséquent nos ennemis.

– Nous zommes des zivils.

– Peut-être. Mais dès que vous arriverez chez les Portugais, vous regagnerez votre mère patrie et vous deviendrez des soldats. Vous ne passerez pas.

Brusquement, il m'empoigna par le bras et me colla le canon de son Luger sur la poitrine. Puis, haussant le ton, il hurla en swahili à mes hommes invisibles :

– Si vous essayez de nous arrêter, j'abats votre officier !

La suite se déroula à la rapidité de l'éclair. Un seul coup de feu retentit, tiré de la forêt, et le chauve qui me tenait toujours par le bras reçut la balle en pleine figure. Ce fut horrible à voir. Sa tête parut éclater et des fragments d'une matière grise et molle volèrent dans toutes les directions. Il n'y eut pas de sang, simplement cette substance grise et des fragments d'os. Une parcelle de ce magma m'atterrit sur la joue. Ma chemise kaki en fut également éclaboussée. Le Luger tomba sur la route et le chauve s'affaissa à côté, mort.

Nous fûmes tous sérieusement ébranlés, mais je me ressaisis suffisamment pour pouvoir déclarer :

– Allons, évitons d'autres morts. Faites demi-tour avec vos véhicules et suivez notre camion de tête jusqu'à la ville. Vous serez bien traités, et les femmes et les enfants seront autorisés à rentrer au pays.

À contrecœur, les hommes se détournèrent et regagnèrent leurs voitures.

– Sergent ! hurlai-je.

Et le sergent surgit de la forêt au pas de gymnastique.

– Mettez le mort dans un des camions avec lequel vous prendrez la tête du convoi. Conduisez-les tous au camp de prisonniers. Je fermerai la marche avec le deuxième camion.

– Très bien, bwana, dit-il.

Et ce fut ainsi que nous capturâmes les civils allemands de Dar es-Salaam au premier jour de la guerre.

Mdisho le Mwanumwezi

Lorsque nous eûmes enfin amené les Allemands sans autre incident dans le camp de prisonniers et que j'eus fait mon rapport, il était près de minuit. Je rentrai à la maison pour prendre une douche et dormir un peu. J'étais fatigué, crasseux, et me sentais très abattu par la mort de l'Allemand au crâne chauve. Le capitaine à la caserne m'avait félicité, ajoutant que j'avais agi exactement comme il fallait, mais mon moral n'en resta pas moins atteint.

Une fois rentré chez moi, je montai droit à ma chambre et enlevai mes vêtements, en particulier la chemise éclaboussée de matière grise et d'esquilles d'os. Je pris une douche prolongée, puis passai un pyjama et descendis pour aller me servir un whisky-soda dont j'avais cruellement besoin.

Au salon, je me renversai en arrière dans mon fauteuil pour siroter mon whisky et ruminer sur les étranges événements qui s'étaient déroulés au cours des dernières trente-six heures. Le whisky me parut délicieux et je me détendis lentement à mesure que l'alcool pénétrait dans mon sang. Par la porte-fenêtre grande ouverte, j'entendais l'océan Indien déferler contre les falaises en dessous de la maison et, comme toujours, lorsque je me trouvais dans ce fauteuil, je tournai légèrement la tête pour contempler mon admirable sabre arabe à poignée d'argent accroché au mur au-dessus de la porte. Je faillis laisser tomber mon whisky. Le sabre avait disparu. Le fourreau était toujours là, mais vide.

J'avais acheté ce sabre environ un an plus tôt au capitaine d'un boutre arabe mouillé dans le port de Dar es-Salaam. Ce capitaine avait, sur son vieux rafiot, fait toute la traversée, de Moscate à l'Afrique, poussé par la mousson nord-est, et le voyage lui avait pris trente-quatre jours. Je me trouvais par hasard au port lorsqu'il arriva, toutes voiles dehors, et j'acceptai avec plaisir l'invitation de l'officier des douanes de l'accompagner à bord. C'était là que j'avais vu le sabre pour lequel j'avais eu un coup de foudre et je l'avais acheté séance tenante pour cinq cents shillings.

Le sabre était long et incurvé et le fourreau d'argent merveilleusement ciselé, orné de motifs élaborés montrant différentes phases de la vie du prophète. La lame qui mesurait près d'un mètre de long était aussi tranchante qu'un ciseau à bois bien affûté. Mes amis de Dar es-Salaam, experts en la matière, me dirent que cette arme était à coup sûr du milieu du XVIIIe siècle et que c'était une véritable pièce de musée.

J'avais rapporté mon trésor à la maison et l'avais montré à Mdisho.

–Je veux que tu l'accroches sur le mur au-dessus de la porte, lui dis-je. Et je te confie comme tâche de veiller à ce que le fourreau en argent soit toujours astiqué et que la lame soit huilée toutes les semaines pour l'empêcher de rouiller.

Mdisho me prit le sabre des mains et l'examina avec respect. Puis il sortit la lame du fourreau et passa le pouce sur le fil.

–Ayee ! s'exclama-t-il. Avec un sabre comme ça, je pourrais gagner une guerre !

Et, maintenant, assis dans mon fauteuil au salon avec mon whisky, je considérais le fourreau vide avec consternation.

–Mdisho ! hurlai-je. Viens ici ! Où est mon sabre ?

Pas de réponse. Il était sans doute au lit. Je me levai et sortis à l'arrière de la maison où se trouvaient les logements des indigènes. Un croissant de lune brillait dans le ciel fourmillant d'étoiles et je vis Piggy le cuisinier accroupi devant sa hutte avec une de ses femmes.

–Piggy, demandai-je, où est Mdisho ?

Piggy était vieux et ridé et il excellait à préparer des pommes de terre rôties fourrées au crabe. Il se leva en me voyant et sa femme disparut dans l'ombre.

–Où est Mdisho ? répétai-je.

–Mdisho est parti en début de soirée, bwana.

–Où est-il allé ?

–Je ne sais pas. Mais il a dit qu'il reviendrait. Il est peut-être allé voir son père. Tu étais parti dans la jungle et il a dû penser que ça ne te gênerait pas qu'il rende visite à son père.

– Où est mon sabre, Piggy ?

– Ton sabre, bwana ? Il n'est pas accroché au-dessus de la porte ?

– Il a disparu. J'ai peur qu'on l'ait volé. La porte-fenêtre du salon était grande ouverte quand je suis rentré. Ce n'est pas normal.

– Non, bwana, ce n'est pas normal. Je ne comprends pas du tout.

– Moi non plus, dis-je. Va donc te coucher.

Je retournai dans la maison et me laissai choir de nouveau dans le fauteuil. J'étais trop fatigué pour bouger. Il faisait une chaleur écrasante cette nuit-là. Levant le bras, j'éteignis la lampe à pied, puis je fermai les yeux et sombrai dans le sommeil.

Je ne sais pas combien de temps je dormis mais, lorsque je m'éveillai, il faisait toujours nuit et la silhouette de Mdisho plantée sur le seuil de la porte-fenêtre se découpait sur le clair de lune. Il était essoufflé, une expression extatique illuminait son visage et il était nu à l'exception d'un petit short en coton noir. Son magnifique corps noir ruisselait littéralement de sueur. Dans sa main droite, il tenait le sabre.

Je me redressai brusquement dans mon fauteuil.

– Mdisho, où étais-tu ?

Le sabre miroitait à la lueur de la lune et je remarquai que le milieu de la lame était noircie d'une substance qui ressemblait terriblement à du sang séché.

– Mdisho ! m'écriai-je. Pour l'amour du ciel, qu'est-ce que tu as fait ?

– Bwana, dit-il, ô bwana, je viens de remporter une

victoire extraordinaire ! Je crois que tu seras très content quand je te raconterai.

— Raconte, dis-je, envahi par l'inquiétude.

Je n'avais encore jamais vu Mdisho ainsi. Son air égaré, son souffle court, la sueur qui baignait tout son corps ne faisaient qu'accroître ma nervosité.

— Raconte-moi immédiatement ! ajoutai-je. Explique-moi ce que tu as fait.

Lorsqu'il prit la parole, les mots jaillirent de sa bouche en une cascade de phrases démentes, surexcitées, et il ne s'arrêta que lorsqu'il eut terminé son histoire. Je ne l'interrompis pas et je vais m'efforcer de vous donner une traduction assez fidèle du récit qu'il me fit en swahili. Il était si beau à voir dans l'encadrement de la porte-fenêtre ouverte, auréolé par les rayons de la lune.

— Bwana, dit-il, bwana, hier au marché, j'ai entendu dire qu'on avait commencé à se battre contre les Germani et je me suis rappelé tout ce que tu avais dit ; qu'ils essaieraient de nous tuer. Dès que j'ai appris la nouvelle, je suis rentré en courant à la maison et, tout le long des rues, je criais à tous ceux que je voyais : "On se bat contre les Germani ! On se bat contre les Germani !"

« Dans mon pays, dès qu'on sait que quelqu'un va nous attaquer, il faut prévenir la tribu tout entière le plus vite possible. Alors je suis revenu en courant et je criais la nouvelle à tous ceux que je croisais, et je réfléchissais aussi à ce que je pourrais bien faire, moi, Mdisho, pour me rendre utile. Brusquement, je me suis souvenu du riche Germani qui habite de l'autre côté des collines, le planteur de sisal qu'on est allé voir avec ta voiture il n'y a pas si longtemps.

« Alors j'ai couru encore plus vite et, arrivé à la maison, j'ai traversé la cuisine en criant à Piggy le cuisinier : "On se bat contre les Germani !" Je suis entré dans cette pièce, et j'ai pris le sabre, ce sabre merveilleux que j'astique pour toi tous les jours.

« Bwana, j'étais tout excité à l'idée que j'étais en guerre. Tu étais déjà parti avec les askaris sur les routes et je savais que je devais faire quelque chose moi aussi.

« Alors j'ai tiré le sabre de son fourreau et je suis reparti avec. J'ai couru vers la maison du riche Germani qui cultive le sisal derrière les collines.

« Je n'ai pas pris la route, parce que les askaris m'auraient peut-être arrêté en me voyant courir un sabre à la main. J'ai coupé droit à travers la forêt et, quand je suis arrivé au sommet des collines, j'ai regardé de l'autre côté et j'ai vu la grande plantation de sisal appartenant au riche Germani… Et, au-delà, il y avait sa maison, la grande maison blanche où nous sommes allés ensemble, et je me suis remis en route pour descendre de l'autre côté des collines et arriver dans le sisal.

« La nuit était maintenant tombée, et ce n'était pas facile d'éviter les grandes feuilles piquantes du sisal, mais je continuais à courir.

« Et alors, j'ai vu la maison blanche devant moi dans le clair de lune et je suis allé droit à la porte d'entrée et je l'ai poussée. Je me suis précipité dans la première pièce devant moi, elle était vide. Il y avait une table où de la nourriture était servie, mais personne. Alors j'ai couru vers l'arrière de la maison et j'ai poussé une porte au bout d'un couloir qui était vide lui aussi mais, brusquement, à travers une fenêtre, j'ai vu le grand Germani dans le jardin de derrière. Il avait allumé un feu et il jetait des morceaux de papier dans le feu. Il avait un tas de feuilles de papier par terre à côté de lui et il ne cessait pas d'en ramasser pour les jeter dans le feu. Et, bwana, il y avait un gros fusil pour chasser l'éléphant posé par terre à côté de ses pieds.

« J'ai ouvert la porte du fond et je suis sorti en courant et le Germani m'a entendu. Il s'est retourné d'un bond et s'est baissé pour ramasser son fusil, mais je ne lui ai pas laissé le temps. Je tenais le sabre à deux mains et je l'ai abattu sur son cou quand il s'est penché sur son fusil.

« Bwana, c'est un sabre merveilleux. D'un seul coup, il lui a entaillé le cou si profondément que toute sa tête a basculé en avant et s'est mise à pendre sur sa poitrine et, comme il s'écroulait en avant, j'ai donné un deuxième coup sec sur le cou et la tête s'est séparée du corps et a roulé par terre comme une noix de coco et une énorme fontaine de sang a jailli de son cou.

« J'étais fier de moi, bwana, j'étais vraiment fier, et j'aurais bien aimé que tu sois là pour assister à la scène. Mais tu étais loin sur la route côtière avec tes askaris en train de faire la même chose à un tas d'autres Germani, alors je me suis dépêché de rentrer à la maison. J'ai pris la route cette fois, parce que c'était plus rapide et ça m'était égal que les askaris me voient maintenant. J'ai couru tout le long, le sabre à la main et, de temps en temps, je l'agitais au-dessus de ma tête, mais sans jamais m'arrêter. Deux fois des gens m'ont crié quelque chose et une fois deux hommes m'ont couru après, mais je volais comme un oiseau et je rentrais à la maison pour annoncer la bonne nouvelle.

« C'est une longue distance, bwana, et le trajet a pris quatre heures dans les deux sens. C'est pour ça que je suis tellement en retard. Je regrette d'être aussi en retard...

Mdisho se tut. Il avait fini son histoire. Je savais qu'elle était vraie. Le planteur de sisal allemand s'appelait Fritz Kleiber et c'était un célibataire fortuné et extrêmement déplaisant. Le bruit courait qu'il traitait fort mal ses ouvriers et on savait qu'il les frappait à coups de *sjambok*, un fouet meurtrier en peau de rhinocéros. Je me demandai pourquoi il n'avait pas été arrêté par nos hommes avant que Mdisho s'attaque à lui. Ils devaient être en route pour aller chez lui maintenant. Une sacrée surprise les y attendait.

– Et toi, bwana ! s'exclama Mdisho. Tu en as eu combien aujourd'hui ?

– Combien de quoi ?

– De Germani, bwana, de Germani ! Combien tu en as descendu avec cette belle mitrailleuse que tu avais sur la route ?

Je le regardai et souris. Je me refusais à lui reprocher ce qu'il avait fait. Il appartenait à la farouche tribu des Mwanumwezi et nous autres Européens l'avions coulé dans le moule d'un domestique mais, maintenant, il avait brisé ce moule.

— As-tu raconté à quelqu'un d'autre ce que tu avais fait ?

— Pas encore, bwana, je suis venu te trouver en premier.

— Alors, écoute-moi bien. Tu ne dois en parler à personne, ni à ton père, ni à tes femmes, ni à ton meilleur ami, ni à Piggy le cuisinier. Tu as bien compris ?

— Mais il faut que je le leur raconte ! s'exclama-t-il. Tu ne peux pas me priver de ce plaisir, bwana !

— Il ne faut pas leur dire, Mdisho, insistai-je.

— Mais pourquoi ? J'ai fait quelque chose de mal ?

— Au contraire, prétendis-je.

— Alors pourquoi je ne dois pas le dire aux gens de chez moi ?

De gauche à droite : Mdisho, Piggy, Owino, M'Toto, Shamba

J'essayai de lui expliquer comment réagiraient les autorités si jamais elles étaient mises au courant. Cela ne se faisait pas, tout simplement, de couper la tête des civils, même en temps de guerre. Il risquait la prison, lui dis-je, et même pire.

Il n'en croyait pas ses oreilles. Il était absolument effondré.

— Je suis, quant à moi, très fier de *toi*, lui dis-je pour lui mettre un peu de baume sur le cœur. Pour moi, tu es un grand héros.

— Mais seulement pour toi, bwana ?

— Non, Mdisho. Je pense que tu serais un héros pour la plupart des Anglais qui se trouvent ici, s'ils savaient ce que tu as fait. Mais ça n'arrangerait rien. C'est la police qui te rechercherait.

— La police ! s'exclama-t-il, horrifié.

S'il y avait une chose qui terrifiait tous les indigènes de Dar es-Salaam, c'était bien la police. Les policiers étaient tous noirs, placés sous les ordres de deux officiers blancs, et ils n'étaient pas réputés pour leur douceur envers les prisonniers.

— Oui, répétai-je, la police.

J'étais persuadé qu'ils inculperaient Mdisho de meurtre s'ils l'attrapaient.

— Si c'est à cause de la police, alors je me tairai, bwana, dit-il.

Il eut soudain l'air si démoralisé, si déçu, si vaincu que je ne pus le supporter.

Me levant de mon fauteuil, je traversai la pièce et allai décrocher du mur le fourreau du sabre.

... Mais il y a une chose que tu pourrais faire, pré-
viens-moi par télégramme si tu changes d'adresse — enfin,
si ça ne coûte pas trop cher — et arrange-toi pour changer
d'adresse rapidement. C'est de la pure folie de rester où
que ce soit dans l'est de l'Angleterre en ce moment. Tu
vas voir atterrir des parachutistes sur ta pelouse si tu ne
fais pas attention.

— Je vais partir bientôt, dis-je. J'ai décidé de faire la guerre comme pilote d'aéroplane. (Le seul mot pour désigner un avion en swahili est *ndegi*, qui signifie « oiseau » et, dans une phrase, il garde tout son pouvoir évocateur.) Je vais piloter des oiseaux. Je piloterai des oiseaux anglais contre les oiseaux des Germani.

— Merveilleux ! s'écria Mdisho, rasséréné en entendant parler de guerre. Je viendrai avec toi, bwana.

— Malheureusement, ce sera impossible. Au début, je ne serai qu'un modeste soldat-oiseau du grade le plus bas, comme la plupart de vos jeunes askaris ici, et je vivrai dans une caserne. Il serait hors de question qu'on m'autorise à avoir quelqu'un pour m'aider. Je devrai tout faire moi-même, y compris laver et repasser mes chemises.

— C'est impossible, bwana ! s'écria Mdisho, sincèrement choqué.

— Je me débrouillerai très bien, lui affirmai-je.

— Mais tu sais repasser une chemise, bwana ?

— Non. Il faudra que tu m'apprennes ce secret avant que je m'en aille.

– Ce sera dangereux, bwana, là où tu vas, et ces oiseaux germani, ils ont beaucoup de fusils ?

– Ce pourrait être dangereux, répondis-je, mais pendant les six premiers mois, on va surtout s'amuser. Il leur faut six mois pour nous apprendre à piloter un oiseau.

– Où vas-tu aller ?

– D'abord à Nairobi. Là, on commencera sur des petits oiseaux, puis on ira ailleurs piloter des oiseaux plus gros. On voyagera beaucoup, avec très peu de bagages. Je ne peux donc pas emporter mon sabre. Impossible de trimbaler un objet aussi grand partout où je vais. Alors je te le donne.

– À moi ? s'écria-t-il. Oh non, bwana, il ne faut pas ! Tu en auras besoin là où tu vas !

– Pas dans un oiseau. Il n'y a pas assez de place pour tenir un sabre quand on est assis dans un de ces engins. (Je lui tendis l'admirable fourreau d'argent.) Tu l'as gagné, dis-je. Maintenant, va-t'en et lave la lame avec soin. Vérifie bien qu'il ne reste pas la moindre trace de sang. Ensuite, graisse-le et remets-le dans son fourreau. Demain, je te donnerai un certificat disant que je te l'ai donné. Très important, le certificat.

Il restait là, le sabre dans une main, le fourreau dans l'autre, et ses yeux brillaient comme deux étoiles.

– Je te l'offre pour acte de bravoure, ajoutai-je. Mais tu ne dois le dire à personne. Dis simplement que je te l'ai donné comme cadeau d'adieu.

– Oui, bwana, assura-t-il. C'est ce que je leur dirai. (Il observa une pause puis me regarda droit dans les yeux.)

Dis-moi la vérité, bwana, tu es vraiment, sincèrement content que j'aie tué le gros planteur de sisal allemand ?

– Nous en avons tué un aujourd'hui, nous aussi, répliquai-je.

– C'est vrai ? s'écria Mdisho. Vous en avez aussi tué un ?

– On était obligé, sinon il m'aurait sans doute tué.

– Alors nous sommes à égalité, bwana, dit-il, souriant de ses éclatantes dents blanches. Nous sommes exactement à égalité, toi et moi.

– Oui, je suppose.

Entraînement au pilotage

En novembre 1939, alors que la guerre était com-
mencée depuis deux mois, j'annonçai à la compagnie
Shell que je voulais m'engager et participer à la lutte
contre bwana Hitler et ils me laissèrent partir avec leur
bénédiction. Superbement magnanimes, ils me décla-
rèrent qu'ils continueraient à mettre mon salaire à la
banque tant que la guerre durerait et que je resterais
vivant. Je les remerciai grandement, montai dans ma
vieille petite Ford Prefect et me mis en route pour franchir les mille kilomètres qui séparaient Dar es-Salaam
de Nairobi et m'enrôler dans la RAF.

Lorsqu'on effectue seul un voyage aussi long et
hasardeux que celui-là, toutes les sensations de plaisir
et de crainte sont singulièrement amplifiées, et les
divers incidents qui émaillèrent cet étrange safari de
deux jours à travers l'Afrique centrale dans ma petite
Ford noire sont restés gravés dans ma mémoire.

Un spectacle fréquent et toujours merveilleux me
fut offert par les innombrables girafes que je rencontrai
au cours du premier jour. Elles allaient en général par

groupes de trois ou quatre, souvent avec des girafeaux à leurs côtés et ne cessaient de faire mon admiration. Elles étaient curieusement apprivoisées. Je les apercevais sur l'avant en train de brouter les feuilles vertes au sommet des acacias, près de la route, et chaque fois que je parvenais à leur hauteur, j'arrêtais la voiture, descendais et m'approchais d'elles à pas lents, poussant des cris ineptes mais cordiaux pour les saluer tout là-haut dans le ciel où leurs têtes se balançaient au bout de leurs cous démesurés. Je n'en revenais pas moi-même de mon comportement lorsque j'étais certain qu'il n'y avait pas un être humain dans un rayon de cinquante kilomètres. Toutes mes inhibitions s'évanouissaient et je hurlais : « Salut, girafes ! Salut ! Salut ! Salut ! Comment allez-vous aujourd'hui ? » Et les girafes, inclinant la tête, posaient sur moi des regards langoureux et réservés à la fois, mais jamais elles ne se sauvaient. Je trouvais prodigieux de pouvoir me promener librement parmi ces gracieuses bêtes sauvages en leur disant tout ce qui me passait par la tête.

La route, orientée vers le nord à travers le Tanganyika, était étroite et souvent creusée d'ornières profondes et j'aperçus, à un moment donné, un énorme cobra brun verdâtre qui rampait sans hâte par-dessus les ornières à trente mètres environ de moi. Il devait mesurer deux mètres cinquante de long et tenait sa tête plate en forme de cuillère dressée à une vingtaine de centimètres au-dessus de la route poussiéreuse. Je stoppai habilement pour ne pas l'écraser et, à la vérité, je ressentis une telle peur que je passai vivement la marche arrière et reculai jusqu'à ce que la terrifiante créature eût disparu dans les broussailles. Jamais ma peur des serpents ne m'a quitté durant tout le temps que j'ai passé sous les tropiques. Ils me donnaient la chair de poule.

À la rivière Wami, les indigènes mirent ma voiture sur un radeau et, sur la rive opposée, six hommes robustes commencèrent à me haler avec une corde tout en chantant, à travers la centaine de mètres de largeur du cours d'eau. Le courant était rapide et, à mi-distance, le frêle radeau où nous oscillions, ma voiture et moi, commença à être entraîné vers l'aval dans les remous. Les six solides gaillards se mirent à chanter plus fort et à tirer avec plus d'énergie tandis que, assis au volant et réduit à l'impuissance, je regardais nager

Le bac sur la Wami

autour du radeau les crocodiles qui m'observaient de leurs cruels yeux noirs. Je fus ballotté sur cette rivière durant près d'une heure mais, à la fin, les six costauds gagnèrent leur bataille avec les courants et m'amenèrent à la rive.

– Ça fera trois shillings, bwana, dirent-ils en riant.

Je ne vis qu'une seule fois des éléphants, une bête aux énormes défenses avec sa femelle et leur unique petit, qui marchaient lentement en file indienne à cinquante mètres environ de la route, en lisière de la forêt. J'arrêtai la voiture pour les regarder, mais sans en descendre. Les éléphants ne me virent pas et je pus les observer un long moment. Une grande impression de paix et de sérénité se dégageait de ces mastodontes massifs et doux à la démarche mesurée. Leur peau leur pendait sur le corps comme un vêtement hérité d'ancêtres plus grands qu'eux avec des pantalons ridiculement fripés. Végétariens comme les girafes, ils n'avaient pas à chasser ou à tuer pour survivre dans la jungle, et aucun autre animal sauvage n'aurait osé les menacer. Seuls les humains malfaisants, sous la forme de chasseurs de fauves ou de braconniers d'ivoire, étaient à craindre pour eux, mais cette petite famille d'éléphants n'avait, semblait-il, pas encore rencontré ce genre de fléau. Elle menait apparemment une existence paisible et sans nuages. « Ils sont mieux lotis que moi, songeai-je, et beaucoup plus sages. Me voilà en route pour aller tuer des Allemands ou être tué par eux, tandis qu'aucune pensée meurtrière n'effleure ces éléphants. »

À la frontière entre le Tanganyika et le Kenya, une barrière de bois était posée en travers de la route avec une vieille bicoque sur le côté, et cet imposant poste-frontière chargé de la douane et de l'immigration était placé sous les ordres d'un vénérable Nègre édenté qui m'apprit qu'il occupait ses fonctions depuis trente-sept ans. Il m'offrit une tasse de thé et me dit qu'il regrettait de ne pas avoir de sucre à mettre dedans. Je lui demandai s'il désirait voir mon passeport, mais il secoua la tête et me dit que, pour lui, tous les passeports se ressemblaient. De toute façon, ajouta-t-il avec un sourire indéchiffrable, il ne pouvait pas lire sans lunettes et n'en possédait pas.

Devant la cabane de la douane, un groupe d'immenses Massaïs armés de lances avait entouré ma voiture. Me considérant avec curiosité, ils caressèrent la Ford de la main, mais nous étions incapables de comprendre nos langues respectives.

Un peu plus tard, je cahotais sur un tronçon de route particulièrement étroit à travers une brousse impénétrable lorsque, soudain, le soleil se coucha et, en dix minutes, l'obscurité engouffra la terre et la forêt. Mes phares étaient des plus faibles. Il aurait été absurde de continuer à rouler dans la nuit. Je me garai donc sur le bord de la route contre un buisson hérissé d'épines pour attendre l'aube et, assis dans la voiture, la vitre baissée, je me servis un gobelet de whisky avec de l'eau. Je bus sans hâte, à petites gorgées, écoutant les bruits de la forêt tout autour de moi. Je n'avais pas peur. Une voiture est une excellente protection contre la plupart des bêtes sauvages. J'avais un sandwich au fromage et le mangeai avec mon whisky. Puis je remontai les deux vitres, ne laissant qu'un centimètre ouvert en haut de chacune, j'allai m'installer sur la banquette arrière, je m'y étendis en chien de fusil et m'endormis.

J'arrivai à Nairobi à trois heures de l'après-midi le jour suivant et me rendis directement à l'aérodrome où était installé le QG réduit de la RAF. Là, un aimable médecin britannique me fit subir un examen médical et fit remarquer qu'une taille de un mètre quatre-vingt-quinze n'était pas l'idéal pour un pilote d'avion.

– Cela signifie-t-il que vous ne pouvez pas me déclarer apte au pilotage ? demandai-je avec anxiété.

– Bizarrement, répondit-il, mes instructions sont muettes sur le chapitre de la taille. Je peux donc vous accepter avec la conscience en paix. Bonne chance, mon garçon.

On me fournit un uniforme composé d'un short, d'une chemise, d'un blouson, de bas kaki et de souliers noirs et je reçus le grade d'élève pilote de première classe [1], situé en dessous de celui de caporal. Après quoi l'on me conduisit à une baraque Nissen où mes camarades apprentis pilotes étaient déjà installés. Nous étions seize au total dans ce centre d'entraînement préparatoire de Nairobi et je trouvai tous mes camarades sympathiques. Tous étaient des jeunes gens comme moi partis d'Angleterre pour aller travailler dans de

1. En anglais, *LAC* : *leading aircraftsman*.

grandes firmes commerciales, en général, soit la Barclays Bank, soit l'Imperial Tobacco, et qui s'étaient portés volontaires. Nous devions passer les six mois suivants à nous entraîner en étroite coopération pour être ensuite séparés et affectés à diverses escadrilles opérationnelles. De ces seize hommes, je l'ai vérifié avec soin plus tard, treize, pas moins, furent tués en combat aérien au cours des deux années suivantes.

Nairobi
4 décembre 1939

Chère maman,

Je nage dans le bonheur, jamais je ne me suis tant amusé. J'ai été admis dans la RAF pour de bon et resterai dans ses rangs jusqu'à la fin de la guerre. Mon grade : élève pilote de première classe, avec toutes les chances de devenir officier pilote dans quelques mois si je ne fais pas de c... Ici, plus de boys pour me servir. Il faut aller chercher sa nourriture, laver sa vaisselle, plier ses vêtements, bref tout faire par soi-même. Je suppose qu'il vaut mieux ne pas trop en dire sur nos activités ou sur nos déplacements parce que la lettre serait sans doute déchirée par la censure, mais nous nous levons le matin à 5 h 30, faisons l'exercice avant le petit déjeuner jusqu'à 7 heures, volons et suivons des cours jusqu'à 12 h 30. 12 h 30-13 h 30 : déjeuner. 13 h 30 à 18 heures : vol et cours. C'est merveilleux de piloter et nos instructeurs sont extrêmement agréables et compétents. Avec un peu de chance, je volerai en solo à la fin de la semaine...

Rétrospectivement, une telle perte de vies humaines vous coupe le souffle.

À l'aérodrome, nous avions trois instructeurs et trois avions. Les instructeurs étaient des pilotes de ligne civils empruntés par la RAF à une petite compagnie locale, nommée la Wilson Airways. Les appareils étaient des Tiger Moth. Le Tiger Moth est – ou était – une machine merveilleuse. Quiconque a jamais piloté un Tiger Moth en est tombé amoureux. C'est un petit biplan aussi efficace qu'acrobatique avec un moteur Gipsy et, comme me l'affirma mon instructeur, un moteur Gipsy n'avait jamais connu la moindre défaillance en vol. On pouvait faire faire à un Tiger Moth toutes les cabrioles possibles en l'air, et jamais rien ne se détraquait. On pouvait faire du vol inversé suspendu à ses bretelles durant plusieurs minutes et, si le moteur s'arrêtait – puisque le carburateur était lui

Nairobi, initiation au pilotage

aussi retourné –, il repartait dès qu'on avait repris le vol horizontal normal. On pouvait exécuter une vrille en chute verticale pendant des centaines de mètres et il suffisait d'effleurer le palonnier, de donner une pointe de gaz et de pousser en avant le manche à balai pour se dégager en deux embardées. Un Tiger Moth n'avait aucun vice. Il ne se couchait jamais sur l'aile si l'on perdait de la vitesse en se rapprochant du sol et il supportait, sans sourciller, d'innombrables atterrissages pour le moins brutaux, dus à des débutants inexpérimentés. Il y avait deux cockpits sur un Tiger Moth, l'un pour l'instructeur, l'autre pour l'élève, et on pouvait se parler en vol par un micro renforcé d'un caoutchouc. L'avion ne comportait aucun perfectionnement et, bien entendu, pas de démarreur électrique, si bien que la seule façon de lancer le moteur était de se planter à l'avant et de tourner l'hélice à la main. Durant cette opération, il fallait veiller à ne pas perdre l'équilibre et à ne pas basculer en avant, sinon l'hélice vous aurait arraché la tête.

Il n'y avait qu'une piste sur le petit aérodrome de Nairobi, ce qui donnait à chacun de multiples occasions d'atterrir et de décoller par vent de travers. Et presque tous les matins, avant de commencer les vols, nous devions fondre au pas de course sur le terrain pour en chasser les zèbres.

Lorsqu'on pilote un avion militaire, on est assis sur son parachute, ce qui ajoute bien quinze centimètres à votre taille. Quand je montai pour la première fois dans le cockpit ouvert d'un Tiger Moth et m'assis sur mon parachute, ma tête dépassait entièrement à l'air libre. Le moteur tournait et je recevais le souffle de l'hélice de plein fouet dans la figure.

– Vous êtes trop grand, remarqua l'officier instructeur qui s'appelait Parkinson. Vous êtes bien sûr de vouloir voler ?

– Oui, oui, je vous en prie, répondis-je.

– Attendez qu'on ait brassé l'hélice pour décoller, dit Parkinson. Vous allez avoir du mal à respirer. Et gardez vos lunettes baissées ou vous serez aveuglé par les larmes.

Parkinson avait raison. Au cours du premier vol, je fus presque asphyxié par le souffle de l'hélice et ne réussis à survivre qu'en plongeant la tête dans le cockpit pour y prendre ma respiration toutes les dix secondes. Ensuite, j'attachai une mince écharpe de coton autour de mon nez et de ma bouche et parvins ainsi à respirer.

> *Nairobi*
> *18 décembre 1939*
>
> *Chère maman,*
>
> *... tout se passe également très bien ici. J'ai fait mon premier vol en solo il y a quelques jours et, maintenant, je monte seul pour des périodes assez longues chaque jour. Je viens d'apprendre à faire des loopings et des vrilles et je vais me mettre au vol à l'envers, ce qui n'est pas si commode. Mais je m'amuse énormément...*

Je constate, d'après mon carnet de vol que je possède toujours, que je volai en solo au bout de sept heures et quarante minutes, ce qui représentait une honnête moyenne. Le carnet de vol d'un pilote de la RAF, à ce propos, est – ou était certainement à l'époque – un document d'une importance capitale. C'était une sorte de registre de format presque carré (20 cm sur 22) de 2,5 cm d'épaisseur, relié avec deux couvertures rigides entoilées de bleu. Il était hors de question de perdre son carnet de vol. Y étaient consignés tous les vols que vous aviez pu faire ainsi que le type de l'avion utilisé, le but et la destination du vol, et le temps passé en l'air.

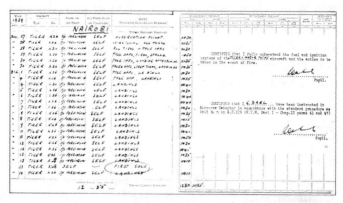

Mon carnet de vol

Après avoir volé en solo, je fus autorisé à piloter seul la plupart du temps, et c'était grisant. Combien de jeunes gens, ne cessais-je de me demander, avaient la chance d'être autorisés à sillonner le ciel en tous sens au-dessus d'un pays aussi beau que le Kenya ? Il n'y avait même pas de limite à l'utilisation de l'appareil et

117

du carburant. Dans la faille de la Great Rift Valley, les bêtes sauvages, grosses et petites, étaient aussi nombreuses que les vaches d'une ferme laitière et je volais le plus bas possible dans mon petit Tiger Moth pour les regarder. Oh ! tous ces animaux merveilleux que je voyais chaque jour de mon cockpit ! Je volais durant de longues périodes à une vingtaine de mètres du sol, contemplant d'immenses troupeaux de buffles et de gnous qui s'éparpillaient de toutes parts sur mon passage. D'après les illustrations d'un livre que j'avais acheté à Nairobi, j'appris à reconnaître le koudou, la gazelle de Thompson, l'oryx, l'impala et bien d'autres animaux. Je vis également des quantités de girafes, de rhinocéros, d'éléphants, de lions et, une fois, j'aperçus un léopard luisant comme un écheveau de soie, allongé sur la branche d'un grand arbre. Il surveillait

Balantyne, moi, Fabian Wallis, élèves pilotes de première classe

quelques impalas paissant en dessous de lui avant de décider lequel il choisirait pour son dîner. Je survolai les flamants roses sur le lac Nakuru et fis le tour du sommet enneigé du mont Kenya dans mon fidèle petit Tiger Moth. « Comme j'ai de la chance, ne cessais-je de me répéter ; personne ne s'est jamais amusé autant que moi. »

L'entraînement initial dura deux mois. Au bout de cette période, nous étions tous capables de piloter correctement un appareil monomoteur léger. Nous pouvions exécuter un looping et voler à l'envers. Nous pouvions sortir d'une vrille et effectuer des atterrissages forcés moteur coupé. Nous pouvions faire une glissade et nous poser correctement avec un fort vent de travers. Nous pouvions nous rendre en solo de Nairobi à Eldoret ou à Nakuru et retour par ciel nuageux, et nous avions une absolue confiance en nous.

Aussitôt terminé notre stage à l'école de pilotage de Nairobi, on nous mit à bord d'un train à destination de Kampala, en Ouganda. Le voyage dura un jour et une nuit, et le train roulait si lentement que nous passions une bonne partie du temps, jeunes casse-cou écervelés, à grimper sur les toits des wagons et à courir sur toute la longueur du train dans les deux sens en sautant au-dessus des vides entre les voitures.

À Kampala, un hydravion de l'Imperial Airways, amarré sur le lac, attendait pour nous emmener tous les seize au Caire, à trois mille kilomètres au nord. Nous étions devenus des pilotes à demi confirmés et, partout où nous allions, nous étions traités comme des articles relativement précieux. Nous débordions, quant à nous, d'énergie et d'exubérance avec, peut-être, une touche de suffisance car nous étions maintenant d'intrépides hommes volants et des démons du ciel.

Le grand hydravion vola à basse altitude pendant toute la durée du trajet et, comme nous passions au-dessus de la zone désertique et nue où le Kenya rencontre le Soudan, nous vîmes véritablement des centaines d'éléphants. Ils paraissaient se déplacer en troupeaux d'une vingtaine, toujours avec un puissant pachyderme à la tête des autres, suivi de ses femelles et de ses petits. « Jamais, ne cessais-je de me répéter, les yeux rivés au petit hublot rond de l'hydravion, jamais je ne reverrai un spectacle pareil. »

Bientôt nous atteignîmes le haut cours du Nil que nous suivîmes jusqu'à Wadi Halfa où nous amerrîmes pour nous ravitailler en carburant. Wadi Halfa était alors une cabane en tôle ondulée avec un stock de fûts de deux cents litres d'essence, et le fleuve y était étroit avec un courant très rapide. Nous nous extasiâmes tous devant l'habileté avec laquelle le pilote posa son énorme machine volante sur ce ruban d'eau impétueuse.

Au Caire, nous amerrîmes sur un Nil très différent, large et paresseux, et, une fois transportés à terre par canot, on nous conduisit à l'aérodrome d'Héliopolis où l'on nous fit monter dans un monstrueux et vétuste avion de transport dont les ailes étaient rafistolées avec des bouts de fil de fer.

Chère maman,

Voici une photo de moi, pas fameuse, dans les rues du Caire, prise par un de ces types qui vous surgissent sous le nez de derrière des toilettes publiques, vous prennent à la sauvette et vous tendent un bout de papier vous indiquant où vous pourrez trouver le cliché le lendemain...

– Où nous emmenez-vous ? demandâmes-nous.

– En Irak, répondirent-ils, et on vous souhaite bonne chance à vous tous.

– Qu'est-ce que ça veut dire au juste ?

– Ça veut dire que vous allez à Habbaniya en Irak et que Habbaniya est le trou perdu le plus sinistre de la planète, dirent-ils en ricanant. Vous allez y mariner six mois pour terminer votre entraînement et votre stage de perfectionnement, après quoi vous serez prêts à entrer dans une escadrille et à affronter l'ennemi.

À moins d'y être allé et de l'avoir vu de ses propres yeux, personne n'aurait jamais cru qu'un endroit comme Habbaniya pouvait exister. C'était un vaste assemblage de hangars, de baraques Nissen et de pavillons en brique, perdu dans le néant, au milieu d'un désert torride sur les rives de l'Euphrate boueux. La ville la plus proche était Bagdad, à plus de cent cinquante kilomètres au nord.

Cette base stupéfiante et insensée de la RAF était colossale. Elle occupait une surface à peu près carrée de plus de mille cinq cents mètres de côté et on y trouvait des rues pavées baptisées Bond Street, Regent Street et Tottenham Court Road. Il y avait des hôpitaux, des centres de chirurgie dentaire, des cantines, des salles de jeux, et je ne sais combien de milliers d'hommes cohabitaient là-dedans. Ce qu'ils pouvaient y faire, jamais je ne l'ai découvert. Que quelqu'un eût pu avoir l'idée de bâtir une véritable ville de la RAF dans un lieu aussi abominable et malsain que Habbaniya dépassait mon entendement.

À Habbaniya, nous volions de l'aube à onze heures. Ensuite, comme le thermomètre montait jusqu'à 45 °C à l'ombre, tout le monde restait à l'intérieur en attendant que la température baisse un peu. Nous pilotions maintenant des avions plus puissants, des Hawker Hart avec des moteurs Rolls-Royce Merlin, et tout devenait brusquement beaucoup plus sérieux. Les Hart avaient des mitrailleuses dans les ailes et nous nous exercions au combat en tirant sur une manche à air remorquée par un autre appareil.

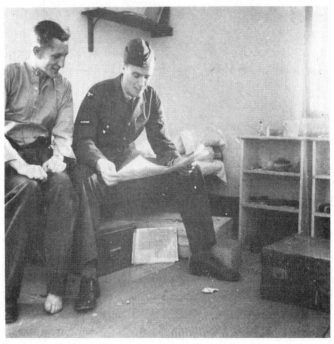

Habbaniya, le « Crasseux » et moi

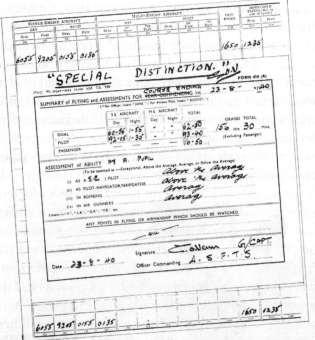

Extrait de mon carnet de vol

Mon carnet de vol m'indique que nous sommes restés à Habbaniya du 20 février 1940 au 20 août 1940, exactement six mois, et qu'à part le vol qui était toujours un exercice palpitant, cette période de ma jeune existence a été plutôt fastidieuse. Il y avait bien, de temps en temps, des incidents mineurs pour nous sortir du marasme, par exemple un débordement de l'Euphrate qui nous obligea à évacuer la totalité du camp pour aller nous réfugier dix jours sur un plateau battu par les vents. Il y avait aussi ceux qui se faisaient piquer par des scorpions et allaient passer quelque temps à l'hôpital pour récupérer. Parfois, des guerriers de tribus irakiennes faisaient des cartons sur nous du haut des collines environnantes. Certains hommes étaient parfois pris de coups de chaleur et devaient être enveloppés dans de la glace. Chacun souffrait de cette température de four et était affligé de démangeaisons presque ininterrompues.

Enfin, nous reçûmes nos macarons [1] et fûmes jugés prêts à partir en campagne et à affronter l'ennemi réel. De notre groupe de seize, huit furent nommés officiers et promus au rang de sous-lieutenant. Les huit autres obtinrent le grade de sergent-pilote, encore que je ne compris jamais quels critères avaient présidé à cette ségrégation sociale. Nous fûmes également répartis en chasseurs et en pilotes de bombardier, volant à bord de monomoteurs ou de bimoteurs. Pour ma part, j'étais nommé pilote de chasse. Sur quoi, nous nous fîmes nos adieux tous les seize et fûmes expédiés dans tous les azimuts.

Je me retrouvai dans une importante base de la RAF sur le canal de Suez, nommée Ismaïlia, où l'on m'annonça que j'avais été affecté à l'escadrille 80 qui, à bord de Gladiator, se battait contre les Italiens dans le désert occidental de Libye. Le Gloster Gladiator était un chasseur biplan démodé avec un moteur en étoile. À la même époque, en Angleterre, nos camarades chasseurs volaient sur des Hurricane et des Spitfire,

1. Insigne ailé du pilote breveté.

mais il n'était pas encore question de nous envoyer ces petites merveilles au Moyen-Orient.

Le Gladiator était armé de deux mitrailleuses fixes qui tiraient *à travers* l'hélice. C'était, à mes yeux, un tour de magie inégalable comme je n'en avais jamais vu de ma vie. Je ne comprenais absolument pas comment deux mitrailleuses crachant des milliers de balles à la minute pouvaient être synchronisées pour tirer leurs projectiles *à travers* une hélice tournant à plusieurs milliers de tours/minute sans toucher les pales. On m'avait expliqué que cela tenait à une petite conduite d'huile et que l'axe de l'hélice communiquait avec les mitrailleuses en envoyant des impulsions dans la conduite, mais je ne pourrais en dire plus.

À Ismaïlia, un capitaine plutôt rogue me montra un Gladiator posé sur la piste et me dit :

—Il est à vous. Vous rejoindrez votre escadrille demain.

—Qui va m'apprendre à le piloter ? demandai-je, tremblant.

—Ne soyez pas stupide, dit-il. Comment pourrait-on vous apprendre quand il n'y a qu'un cockpit ? Montez dedans, faites quelques décrochages et quelques atterrissages et vous l'aurez bientôt en main. Vous avez intérêt à vous exercer au maximum car, du jour au lendemain, vous risquez de vous retrouver en l'air en face d'un petit Italien dégourdi qui fera tout pour vous descendre.

Je me souviens d'avoir pensé à l'époque que ce n'était sûrement pas la bonne méthode à employer. Ils avaient consacré huit mois et beaucoup d'argent à

Habbaniya
10 juillet 1940

Chère maman,

Nous sommes ici depuis près de cinq mois et, comme la fin de notre période d'entraînement est de plus en plus proche, nous sommes de plus en plus enthousiastes.

Ce sera bien curieux de voir des gens ordinaires et des femmes réelles faire des choses ordinaires dans des endroits ordinaires : d'arrêter un taxi ou de donner un coup de téléphone, de commander ce qu'on a envie de manger ou de voir un train, de monter un escalier ou de longer une rangée de maisons. Ce genre d'activités et beaucoup d'autres me procureront un intense plaisir...

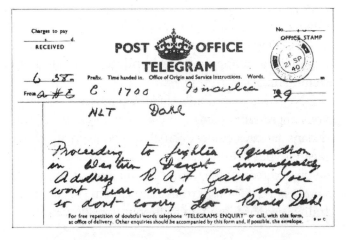

Départ immédiat pour escadrille chasse dans le désert. Adresse RAF Caire. Serez privés nouvelles. Ne vous inquiétez pas. Tendresses. Ronald Dahl

m'apprendre à voler et, soudain, tout s'arrêtait. Personne à Ismaïlia n'allait m'apprendre quoi que ce soit sur le combat aérien et ils ne prendraient sûrement pas le temps de faire mon éducation dans ce domaine quand j'aurais rallié une escadrille en opération. Il est bien évident que nous fûmes lancés dans la bataille ignorant tout de la technique de la guerre aérienne, ce qui, selon moi, explique les terribles pertes en jeunes pilotes que nous avons subies là-bas. Je n'ai moi-même survécu que d'extrême justesse.

Survie

Il y a une quarantaine d'années, j'ai décrit dans un récit appelé *A Piece of Cake* les impressions que j'avais éprouvées, solidement sanglé dans le cockpit de mon Gladiator, avec le crâne fracturé, la face enfoncée, la cervelle embrumée, tandis que mon appareil écrasé au sol prenait feu dans les sables du désert de Libye. Mais il est un aspect de l'accident que j'aimerais clarifier. À me relire, il me semble que le texte laissait supposer que j'avais été descendu par l'ennemi et, si ma mémoire est bonne, ce récit fut publié par un magazine américain, le *Saturday Evening Post*, qui en avait acheté les droits. Nous étions alors en guerre, et plus dramatique était le climat, mieux cela valait. Ils avaient titré le texte : « Abattu en Lybie ». On voit donc clairement l'objectif qu'ils visaient. En vérité, l'ennemi n'était pour rien dans mon accident. Je n'avais été touché ni par un avion ni par un tir venant du sol. Voici ce qui s'était passé. J'étais monté dans mon nouveau Gladiator sur un terrain de la RAF du nom d'Abu Suweir, près du canal de Suez, et m'étais envolé seul pour rejoindre l'escadrille 80 dans le désert de Libye. C'était mon tout premier vol dans la zone des combats. Nous étions le 19 septembre 1940. On me donna comme instructions de survoler le delta du Nil et de me poser sur un petit terrain appelé Amiriya, près d'Alexandrie, pour refaire le plein. Ensuite je devais repartir et atterrir sur une base de bombardiers en Libye appelée Fouka pour un second ravitaillement... À Fouka, je devais me présenter au commandant de la base qui m'expliquerait où se trouvait exactement l'escadrille 80 et j'irais la rejoindre avec mon appareil. Une base aérienne avancée dans le désert du Moyen-Orient se bornait, en général, à l'époque, à une bande de sable entourée de tentes et d'avions alignés au sol, et ces formations se déplaçaient fréquemment d'un site à un autre selon l'avance ou le recul du front de bataille.

Le vol en lui-même représentait une aventure assez hasardeuse pour un pilote sans connaissance pratique de son appareil et ignorant tout des longs trajets au-dessus de l'Égypte et de la Libye sans aucune aide à la navigation. Privé de radio, je n'avais qu'une carte attachée à mon genou. Il me fallut exactement une heure pour aller d'Abu Suweir à Amiriya où je me posai, non sans mal, dans une tempête de sable. Mais, le plein fait, je repartis le plus vite possible pour Fouka. J'atterris à Fouka cinquante-cinq minutes plus tard (tous ces horaires sont méticuleusement consignés dans mon carnet de vol) et j'allai me présenter au commandant de base dans sa tente. Il passa quelques appels avec son téléphone de campagne et me demanda ma carte.

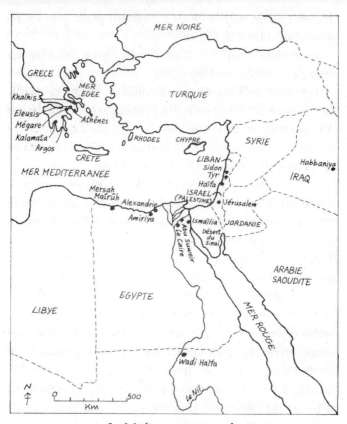

La Méditerranée orientale

– L'escadrille 80 est maintenant ici, dit-il en désignant un point au milieu du désert à une cinquantaine de kilomètres au sud de la petite ville côtière de Marsa-Matrouh.

– Elle est facile à repérer ? demandai-je.

– Vous ne pouvez pas la rater, dit-il. Vous verrez les

131

tentes et une quinzaine de Gladiator posés autour. Ils seront visibles à des kilomètres.

Je le remerciai et le quittai pour aller calculer ma route et la distance à franchir.

Il était 6 h 15 lorsque je décollai de Fouka pour rallier la base de l'escadrille 80. J'estimais la durée du vol à cinquante minutes au plus, ce qui me laissait entre quinze et vingt minutes de battement avant la tombée de la nuit, un délai amplement suffisant.

Je volai droit vers le point où devait se trouver l'escadrille 80. Elle n'y était pas. Je patrouillai autour de la zone indiquée au nord, au sud, à l'est, à l'ouest ; pas la moindre trace de base aérienne. Au-dessous de moi ne s'étendait qu'un désert vide et plutôt accidenté, semé de grosses pierres, de blocs rocheux et de failles.

C'est alors que le crépuscule commença à tomber et je me rendis compte que j'étais dans le pétrin. Ma jauge d'essence se rapprochait de zéro et il n'était pas question de regagner Fouka avec ce qui me restait. De toute façon, je n'aurais pas retrouvé la base dans l'obscurité. La seule solution possible était de tenter un atterrissage forcé dans le désert et de l'exécuter rapidement avant que la nuit fût tombée.

Je descendis en rase-mottes au-dessus du désert rocailleux à la recherche d'une bande de sable suffisamment plane pour permettre un atterrissage de fortune. Je connaissais la direction du vent et savais exactement dans quel sens effectuer mon approche. Mais où ? Où diable pouvais-je trouver une petite parcelle de désert dépourvue de pierres, de rochers et de ravines ?

Il n'y en avait pas trace. La nuit était près de tomber. Je devais à tout prix me poser. Je choisis une zone qui me parut un peu plus dégagée que les autres et commençai mon approche. Je réduisis les gaz au minimum, volant à la limite de ma vitesse de décrochage de cent vingt-cinq kilomètres à l'heure. Mes roues touchèrent le sol. Je coupai les gaz et priai le ciel de me laisser ma chance. Elle me fut refusée. Mon train d'atterrissage percuta un rocher, se désintégra et le Gladiator se mit en pylône, à près de cent vingt kilomètres à l'heure.

Cette culbute me valut diverses blessures. Au moment de l'impact (et bien que je fusse solidement sanglé comme d'habitude dans le cockpit), ma tête fut projetée avec violence contre le viseur et, outre une fracture du crâne, j'eus le nez enfoncé, quelques dents sautèrent sous le choc et je me retrouvai aveugle.

Curieusement, je me rappelle avec netteté un bon nombre des faits qui suivirent immédiatement l'accident. À coup sûr, je restai inconscient durant un certain temps, mais je dus revenir à moi assez vite car je me souviens d'avoir entendu une sorte de souffle puissant tandis que le réservoir d'essence de l'aile gauche explosait, suivi presque aussitôt d'un souffle de même puissance accompagnant l'explosion du réservoir droit. Je ne voyais rien du tout et ne ressentais aucune douleur. Tout ce que je voulais, c'était m'endormir en douceur et au diable les flammes. Mais bientôt une chaleur terrible autour de mes jambes arracha à son inertie ma cervelle spongieuse. À grand-peine, je parvins à détacher tout d'abord mes bretelles, puis les suspentes de mon parachute ; je me souviens même des efforts désespérés que je fis pour m'extraire du cockpit et basculer la tête la première sur le sable en dessous. À nouveau, je ne songeai plus qu'à rester allongé et à glisser dans le néant, mais le rayonnement de la chaleur était terrifiant et, si j'étais resté sur place, j'aurais été tout simplement rôti vivant. Très lentement, je me mis à ramper en m'écartant du terrible brasier. J'entendis les munitions de ma mitrailleuse sauter dans les flammes tandis que les balles sifflaient et ricochaient en tous sens, mais ce feu d'artifice me laissait indifférent. Tout ce que je voulais, c'était m'éloigner de cette source de chaleur insoutenable et reposer en paix. Autour de moi, le monde était comme divisé en deux moitiés. Ces deux moitiés étaient plongées dans une nuit noire, mais l'une était brûlante et l'autre pas. Je devais absolument continuer à me traîner pour échapper à la fournaise, ce qui me prit du temps et me demanda des efforts considérables mais, pour finir, la température qui m'environnait devint supportable. Alors je me laissai aller et sombrai dans le néant.

Plus tard, lors de l'enquête effectuée sur mon accident, il se confirma que les renseignements du commandant de la base de Fouka étaient totalement erronés. L'escadrille 80 n'avait jamais occupé la position où l'on m'avait envoyé. Elle se trouvait à soixante-quinze kilomètres au sud et le secteur où j'avais été expédié était, en fait, un no man's land sablonneux séparant les premières lignes des armées britannique et italienne. L'on me dit que les flammes montant de mon appareil avaient illuminé les dunes à des kilomètres à la ronde et que, bien entendu, non seulement mon accident mais le feu de joie qui l'avait suivi avaient eu de nombreux témoins dans les deux camps. Les observateurs dans les tranchées avaient suivi mes évolutions pendant quelque temps et, des deux côtés, les combattants savaient que c'était un chasseur de la RAF et non un Italien qui s'était écrasé. Les restes, s'il y en avait, intéresseraient donc plus les nôtres que l'ennemi.

Une fois les flammes éteintes et le désert noyé par la nuit, une patrouille réduite de trois braves du régiment du Suffolk sortit en rampant des lignes britanniques pour venir inspecter l'épave. Ils ne songèrent pas un instant qu'ils pourraient trouver autre chose qu'un fuselage calciné et un squelette carbonisé et ils furent apparemment sidérés en découvrant mon corps qui respirait encore, gisant dans le sable à proximité.

Lorsqu'ils me retournèrent dans l'obscurité pour m'examiner de plus près, je dus reprendre vaguement mes esprits, car je me rappelle avec netteté avoir entendu une voix me demandant comment je me sentais, mais j'étais incapable de répondre. Je les entendis ensuite chuchoter entre eux sur les moyens de me ramener dans leurs lignes sans brancard.

Je me souviens ensuite, beaucoup plus tard, d'une voix d'homme m'annonçant qu'il savait que j'étais incapable de le voir ou de lui répondre, mais qu'il me croyait capable de l'entendre. Il m'expliqua qu'il était un médecin anglais et que je me trouvais dans un poste de secours souterrain de Marsa-Matrouh. Il me dit

135

qu'on allait me transférer en ambulance jusqu'au train et me ramener ensuite à Alexandrie.

J'entendais et comprenais ce qu'il me disait et j'étais également au courant de ce qui concernait Marsa-Matrouh et le train. Marsa était une bourgade sur la côte de la Libye, à environ quatre cents kilomètres d'Alexandrie, et notre armée possédait une petite voie ferrée, protégée avec soin, reliant à travers le désert les deux agglomérations. Cette voie ferrée jouait un rôle vital pour le ravitaillement de nos troupes avancées dans le désert et les Italiens la bombardaient constamment, mais nous réussissions tant bien que mal à la maintenir en activité. Tout le monde connaissait l'existence de cette voie unique courant le long de la côte, non loin des plages éblouissantes de blancheur de la Méditerranée du Sud entre Alex et Marsa.

Je perçus des voix autour de moi, tandis qu'on installait mon brancard dans l'ambulance et, lorsque la voiture démarra et commença à rouler sur la piste particulièrement bosselée, quelqu'un au-dessus de moi se mit à crier. À chaque cahot, le blessé étendu sur la couchette supérieure poussait un hurlement de douleur.

Lorsqu'on nous transféra à bord du train, je sentis une main sur mon épaule et une savoureuse voix cockney me déclara :

– Te bile pas, mon pote. T'arriveras bientôt à Alex.

Je me souviens ensuite d'avoir été transporté hors du train dans l'énorme brouhaha de la gare d'Alexandrie et d'avoir entendu une voix de femme qui disait :

– Celui-là est officier. Il va à l'anglo-suisse.

Ensuite, je me retrouvai à l'intérieur de l'hôpital et j'entendis les roues de mon chariot rouler avec un bruit mat le long de couloirs sans fin.

– Mettez-le là pour l'instant, dit une autre voix de femme. Il faut qu'on l'examine avant de l'emmener dans le service.

Des doigts agiles commencèrent à dérouler le pansement autour de ma tête.

– Pouvez-vous m'entendre quand je vous parle ? demanda la femme. (Elle prit une de mes mains dans les siennes et ajouta :) Si vous m'entendez, serrez-moi simplement les doigts.

J'obtempérai.

– Bien, dit-elle. C'est parfait. Maintenant, nous savons que vous allez vous en tirer.

Elle dit ensuite :

– Le voilà, docteur. J'ai enlevé les pansements. Il est conscient et réagit normalement.

Je sentis le visage du docteur tout près du mien tandis qu'il se penchait sur moi et me demandait :

– Avez-vous très mal ?

Débarrassé des bandes qui m'enveloppaient la tête, je parvins à répondre en balbutiant :

– Non, pas très. Mais je ne vois pas.

– Ne vous inquiétez pas de ça, dit le docteur. Vous n'avez qu'une chose à faire : rester tranquille. Avez-vous besoin d'uriner ?

– Oui, dis-je.

– On va vous aider, dit-il. Mais ne bougez pas. N'essayez pas de faire quoi que ce soit tout seul.

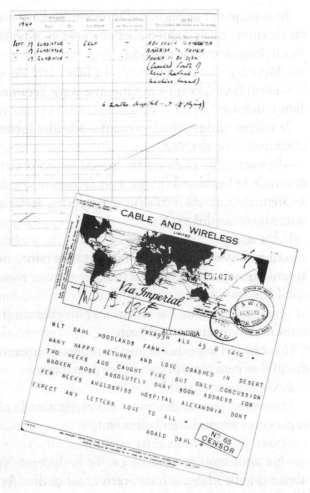

Year 1940	Aircraft Type	No.	Pilot, or 1st Pilot	2nd Pilot, Pupil or Passenger	Duty (Including Results and Remarks)
Sept. 19	Gladiator	–	Self	–	Abu Sueir - Ismailia
" 19	Gladiator	–		–	Amriya to Fouka
" 19	Gladiator	–			Fouka to 80 Sqdn (Crashed South of Mersa Matruh - machine burnt)
					6 months Hospital - ? H (flying)

NLT DAHL WOODLANDS FARM —

MANY HAPPY RETURNS AND LOVE CRASHED IN DESERT
TWO WEEKS AGO CAUGHT FIRE BUT ONLY CONCUSSION
BROKEN NOSE ABSOLUTELY OKAY SOON ADDRESS FOR
FEW WEEKS ANGLOSWISS HOSPITAL ALEXANDRIA DONT
EXPECT ANY LETTERS LOVE TO ALL —

ROALD DAHL

Vœux et tendresse - Avion écrasé dans désert il y a quinze jours et brûlé, mais simple choc pour moi - Nez cassé - Tout va bien - Adresse pour quelques semaines hôpital anglo-suisse Alexandrie - N'attendez pas lettres - Affectueusement.

Je crois qu'ils me placèrent une sonde, car je les sentis s'affairer dans cette région de mon corps et cela me fit un peu mal mais la pression sur les parois de ma vessie disparut.

– Pour l'instant, un simple pansement sec, mademoiselle. Nous le passerons à la radio dans la matinée.

Je me retrouvai ensuite dans une salle avec quantité d'autres hommes qui parlaient beaucoup et plaisantaient entre eux. Je restai là à somnoler, sans souffrir et, plus tard, les sirènes d'alerte antiaérienne se mirent à mugir, les canons antiaériens à crépiter de tous les côtés et j'entendis quantité de bombes exploser assez près de nous. Je sus alors qu'il faisait nuit parce que c'était l'époque où les bombardiers italiens effectuaient sept raids nocturnes par semaine contre nos bateaux dans le port d'Alexandrie. Je me sentais très calme et rêveur, allongé dans mon lit en train d'écouter les explosions énormes des bombes et le staccato de la DCA. J'avais l'impression que j'avais des écouteurs aux oreilles et que tout ce vacarme me parvenait par la radio à des centaines de kilomètres de là.

Je sus que c'était le matin car la salle entière s'anima tandis que les petits déjeuners étaient servis à tous les malades. De toute évidence, je ne pouvais pas manger car ma tête était entièrement enveloppée de pansements avec seulement de petits trous pour respirer. D'ailleurs je n'avais pas envie de manger et ne cessais de somnoler. Un de mes bras était fixé à une planchette car il était hérissé de tubes mais l'autre, le droit, était libre et je me hasardai une fois à tâter mes bandages du bout des doigts. Puis l'infirmière m'annonça :

– Nous allons déplacer votre lit dans une chambre plus tranquille où vous serez seul.

On me poussa donc hors de la salle pour me conduire dans une chambre isolée et, durant les deux ou trois jours suivants, je ne sais plus combien au juste, je fus soumis, à demi inconscient, à divers examens, entre autres des radiographies et plusieurs séances dans la salle d'opération. L'un de mes souvenirs les plus précis est celui d'une conversation sur le billard même entre un docteur et moi. Je savais que j'étais en salle d'opération parce qu'on me disait toujours où l'on m'emmenait et, une fois, le docteur me déclara :

– Eh bien, jeune homme, nous allons utiliser avec vous aujourd'hui un anesthésique dernier cri. Il vient d'arriver d'Angleterre et s'administre par piqûre.

J'avais eu de brefs entretiens avec ce même docteur à plusieurs reprises. Il était anesthésiste et était venu me voir dans ma chambre avant chaque opération pour appliquer un stéthoscope sur ma poitrine et sur mon dos.

Toute ma vie, j'ai pris un vif intérêt pour les choses médicales qui ont constamment éveillé ma curiosité et, même en ces années de jeunesse, je posais déjà aux médecins toutes sortes de questions. Cet homme, peut-être parce que j'étais aveugle, veillait toujours à me considérer comme un interlocuteur intelligent.

– Comment l'appelle-t-on ? demandai-je.

– C'est du penthotal de sodium, répondit-il.

— Et vous ne vous en êtes jamais servi ?

— Je ne m'en suis jamais servi moi-même, mais il a été utilisé avec succès en Angleterre comme préanesthésique. L'effet est très rapide et agréable.

Je me rendais compte qu'un bon nombre d'autres personnes, hommes et femmes, allaient et venaient sans bruit dans la salle d'opération avec leurs bottes en caoutchouc et j'entendais le cliquetis d'instruments saisis et reposés et un murmure de voix étouffées. L'odorat et l'ouïe s'étaient beaucoup développés chez moi depuis ma cécité et j'avais acquis l'habitude instinctive de traduire les sons et les odeurs en images mentales colorées. Je m'imaginais maintenant la salle d'opération si blanche et stérile avec tout son personnel masqué en blouses vertes vaquant comme des prêtres à leurs diverses tâches et je me demandais où était le chirurgien, le grand homme qui allait se charger d'inciser, d'entailler et de recoudre.

J'étais sur le point de subir une importante opération sur mon visage et celui qui devait la pratiquer avait été un célèbre chirurgien esthétique de Harley Street avant la guerre, mais il était maintenant chirurgien chef dans la Marine. L'une des infirmières m'avait parlé de sa réputation à Londres le matin même.

— Avec lui, vous êtes en bonnes mains, m'avait-elle dit. Il fait des merveilles. Et tout ça, gratis. Une intervention comme ça vous aurait coûté cinq cents guinées dans le civil.

— Vous voulez dire que c'est la toute première fois que vous vous servez de cet anesthésique ?

Cette fois, il ne répondit pas directement.

– Ça va beaucoup vous plaire, dit-il. Vous allez vous éteindre comme une lampe. Vous n'aurez même pas la sensation de perdre conscience comme avec les autres produits. Alors allons-y. Vous ne sentirez qu'une petite piqûre sur le dos de la main.

Je sentis en effet l'aiguille pénétrant dans une veine sur le dos de ma main et j'attendis le moment où j'allais « m'éteindre comme une lampe ».

Je n'avais pas peur du tout. Jamais je n'avais craint les chirurgiens ou l'anesthésie et, aujourd'hui encore, après seize opérations sérieuses en de nombreuses parties de mon corps, je fais entière confiance à tous, disons plutôt à presque tous les professionnels de la médecine.

J'étais là allongé à attendre toujours et rien ne se passait. Mes pansements avaient été enlevés pour l'opération mais mes yeux restaient encore fermés en permanence par les bourrelets de chair tuméfiée de mon visage. Un docteur m'avait dit qu'il était tout à fait possible que mes yeux n'aient subi aucun dommage. J'étais sur ce point très dubitatif. Il me semblait que j'avais été définitivement aveuglé et, tandis que je gisais dans ma chambre obscure et silencieuse où tous les sons – même infimes – prenaient une étrange intensité, j'avais tout le temps de ruminer sur la signification d'une cécité totale dans l'avenir. Curieusement, elle ne m'effrayait pas. Je n'étais même pas déprimé à cette idée. Dans un monde en proie à la guerre où j'avais piloté de dangereux petits avions qui rugissaient, piquaient, s'écrasaient et prenaient feu, le fait de perdre la vue, sans parler de la vie elle-même, n'avait qu'une importance secondaire. La survie n'était plus une notion pour laquelle on songeait à lutter. Je commençais déjà à comprendre que la seule conduite à suivre dans une situation où les bombes pleuvaient et les balles vous sifflaient aux oreilles était d'accepter les dangers et toutes leurs conséquences aussi calmement que possible. Se faire de la bile, se tourmenter à ce sujet n'était d'aucun secours.

Le docteur avait essayé de me réconforter en m'expliquant que lorsqu'on avait des contusions, des œdèmes aussi importants que les miens, il fallait attendre au moins que les boursouflures se soient résorbées et que les croûtes de sang autour des paupières soient tombées.

– Soyez patient, m'avait-il dit. Attendez que vos yeux soient capables de se rouvrir.

Privé pour le moment de paupières à fermer ou à ouvrir, j'espérais que l'anesthésiste n'allait pas s'imaginer que son nouveau narcotique merveilleux m'avait endormi quand ça n'était pas le cas. Je ne voulais pas qu'ils commencent avant que je sois prêt.

– Je suis encore réveillé, dis-je.

– Je sais, dit-il.

– Qu'est-ce qui se passe ? demanda une autre voix d'homme. Ça ne marche pas ?

C'était, je le savais, le chirurgien, le grand homme de Harley Street.

– Ça n'a pas l'air d'avoir le moindre effet, dit l'anesthésiste.

– Donnez-lui encore une dose.

– C'est fait, c'est fait, répondit l'anesthésiste.

Et il me sembla percevoir une certaine acidité dans sa voix.

– Londres prétend que c'est la plus grande découverte depuis le chloroforme, disait le chirurgien. J'ai lu le rapport moi-même. C'est Matthews qui l'a rédigé. Dix secondes, dit-il, et le patient est *out*. Vous lui dites simplement de compter jusqu'à dix et il est *out* avant d'arriver à huit, voilà ce qu'affirme le rapport.

– Celui-là aurait pu compter jusqu'à cent, remarqua l'anesthésiste.

L'idée me vint qu'ils se parlaient entre eux comme si je n'avais pas été là. J'aurais été beaucoup plus tranquille s'ils avaient été moins bavards.

– Enfin, on ne peut pas attendre toute la journée, dit le chirurgien.

C'était à son tour de se montrer irritable. Mais je ne voulais pas que mon chirurgien soit irritable alors qu'il allait pratiquer une opération délicate sur mon visage. Il était venu dans ma chambre la veille et, après m'avoir examiné avec soin, m'avait dit :

– On ne peut pas vous laisser comme ça tout le reste de votre existence, n'est-ce pas ?

Cette réflexion m'avait inquiété. Elle aurait inquiété n'importe qui.

– Comme quoi ? lui avais-je demandé.

– Je vais vous faire un très beau nouveau nez, avait-il répondu en me tapotant l'épaule. Vous voulez un appendice agréable à regarder quand vous rouvrirez les yeux, n'est-ce pas ? Avez-vous jamais vu Valentino au cinéma ?

– Oui.

– Je vais vous modeler un nez comme le sien, avait déclaré le chirurgien. Qu'est-ce que vous pensez de Valentino, mademoiselle ?

– Il est sensationnel !

Et maintenant, dans la salle d'opération, le même chirurgien disait à l'anesthésiste :

– Je laisserais tomber ce penthotal à votre place. Nous ne pouvons vraiment plus attendre. J'ai encore quatre opérations de plus à faire ce matin.

– D'accord, aboya l'anesthésiste. Apportez-moi le protoxyde d'azote.

Je sentis le masque de caoutchouc plaqué sur mon nez et ma bouche et bientôt des cercles rouge vif se mirent à tourner, à tourner de plus en plus vite comme une série d'énormes rouages sanglants puis il y eut une explosion et je perdis conscience.

Lorsque je revins à moi, je me trouvais dans ma chambre. J'allais y rester un nombre indéterminé de semaines, mais n'allez pas croire que je fus totalement privé de compagnie durant cette période. Tous les matins au long de ces journées aveugles plongées dans la nuit, une infirmière, toujours la même, entrait dans ma chambre, me baignait les yeux avec quelque chose de velouté et d'humide. Elle était très douce et attentive, et jamais elle ne me fit mal. Pendant une heure au moins, assise sur mon lit, elle accomplissait avec doigté sa tâche sur mes yeux tuméfiés et elle me parlait tout en me soignant. Elle m'expliqua que l'anglo-suisse était un grand hôpital civil et qu'à la déclaration de la guerre la Marine avait réquisitionné tout le centre hospitalier. Tous les médecins et toutes les infirmières de l'hôpital appartenaient à la Marine.

– Vous êtes de la Marine ? lui demandai-je.

– Oui, répondit-elle. Je suis officier des forces navales.

– Et pourquoi suis-je ici si l'endroit est réservé à la Marine ?

– Nous recevons aussi bien ceux de la RAF et de l'armée de terre maintenant, dit-elle. La plupart des blessés appartiennent à ces deux armes.

Elle s'appelait, me dit-elle, Mary Welland et habitait Plymouth. Son père était capitaine de frégate et sa mère travaillait à la Croix-Rouge à Plymouth. Elle me dit avec un sourire dans la voix qu'il était très mal vu qu'une infirmière s'asseye sur le lit d'un blessé, mais les soins qu'elle donnait à mes yeux étaient une tâche très délicate qu'elle ne pouvait effectuer que placée tout près de moi. Elle avait une voix suave et harmonieuse et je commençai à m'imaginer le visage assorti à cette voix, des traits finement dessinés, des yeux bleu-vert, des cheveux châtains aux reflets dorés et le teint pâle. Parfois, tandis qu'elle s'affairait tout contre mes yeux, je sentais son haleine chaude et légèrement parfumée de confiture d'orange sur ma joue et, en un rien de temps, je me mis à tomber éperdument amoureux de l'image invisible de Mary Welland. Chaque matin, j'attendais avec impatience que la porte s'ouvre, guettant le tintement du plateau roulant qu'elle poussait dans ma chambre.

Ses traits, décidai-je, ressemblaient beaucoup à ceux de Myrna Loy. Myrna Loy était une vedette de cinéma américaine que j'avais vue bien souvent à l'écran et, jusque-là, elle avait correspondu pour moi au modèle de la beauté parfaite. Mais, maintenant, je reprenais le visage de Miss Loy, l'embellissais encore et l'attribuais à Mary Welland. La seule donnée concrète susceptible de me guider était sa voix et, pour mon goût personnel, les gracieuses intonations de Mary Welland étaient infiniment préférables au rugueux accent américain de Myrna Loy.

Durant à peu près une heure chaque jour, je connus l'extase tandis que Miss Myrna Loy-Mary Welland, assise sur mon lit, pratiquait des attouchements sur mes yeux et mon visage avec ses doigts délicats. Puis, soudain, je ne sais combien de jours plus tard, vint un moment pour moi inoubliable.

Mary Welland soignait mon œil droit, lui appliquant un de ses tampons humides, quand, brusquement, ma paupière commença à s'entrouvrir. Tout d'abord, ce ne fut qu'une fente infinitésimale, mais néanmoins un filament de lumière vive perça l'obscurité dans ma tête et je vis devant moi, tout près… Je vis trois objets distincts… et tous trois scintillaient avec des reflets rouge et or !

– Je vois ! m'écriai-je. Je vois quelque chose !

– Vraiment ? dit-elle avec animation. Vous en êtes sûr ?

– Oui, je vois quelque chose tout près de moi ! Je vois trois choses séparées devant moi ! Et mademoiselle… elles sont rouge et or et elles brillent ! Qu'est-ce que c'est ? Dites-moi, qu'est-ce que je vois ?

– Essayez de rester calme, dit-elle. Cessez de bondir comme ça. Ce n'est pas bon pour vous.

– Mais, mademoiselle, je vois vraiment quelque chose ! Vous ne me croyez pas ?

– Est-ce cela que vous voyez ? demanda-t-elle et cette fois, une partie d'une main et un doigt pointé entrèrent dans mon champ de vision. C'est cela ? Ces choses-là ?

Et son doigt désignait les trois superbes objets polychromes qui scintillaient sur un fond de blanc très pur.

– Oui ! m'écriai-je. C'est bien ça ! Ces trois choses ! Je les vois très bien ! Et je vois votre doigt !

Lorsque d'interminables journées d'obscurité et de doute sont brusquement comme trouées par d'éclatantes images rouge et or, le plaisir qui vous envahit l'esprit est presque insoutenable. Adossé à mes oreillers, je contemplais à travers la fente minuscule de mon unique œil ouvert le chatoyant spectacle, me demandant si, par hasard, je n'entrevoyais pas un coin de paradis.

– Qu'est-ce que je regarde ? demandai-je à l'infirmière.

– Vous regardez le haut de mon uniforme blanc, répondit Mary Welland. C'est le devant de ma blouse et les objets colorés que vous voyez au milieu forment mon insigne du Royal Naval Nursing Service. Il est épinglé sur ma poitrine à gauche et toutes les infirmières de la Royal Navy le portent.

– Mais il est si beau ! m'exclamai-je en regardant l'insigne.

Il était fait de trois éléments, rehaussés de riches broderies. En haut, il y avait une couronne d'or avec le centre rouge et des petits points verts près de la base. Au milieu, sous la couronne, figurait une ancre d'or avec un cordage rouge enroulé autour. Et, sous l'ancre, se trouvait un cercle d'or entourant une grande croix rouge. Ces images et leurs brillantes couleurs sont restées gravées dans ma mémoire depuis lors.

– Ne bougez pas, dit Mary Welland. Je crois que nous pouvons ouvrir un peu plus cette paupière.

Je m'immobilisai et, quelques minutes plus tard, elle réussit à soulever largement la paupière et je vis toute la pièce de mon œil ouvert. Avant tout, je vis l'infirmière gradée Welland, elle-même assise tout près de moi et souriante.

– Bonjour, dit-elle. Bienvenue pour votre retour sur terre.

Elle était ravissante, bien plus charmante que Myrna Loy et beaucoup plus réelle.

– Vous êtes encore plus belle que je ne l'imaginais, lui dis-je.

– Eh bien… merci, répondit-elle.

Le jour suivant, elle réussit à m'ouvrir l'autre œil et, allongé sur mon lit, je songeai que j'allais reprendre un nouveau départ dans l'existence.

Mary Welland était à coup sûr séduisante. Elle était douce et attentive. Elle resta mon amie durant toute la durée de mon séjour à l'hôpital. Mais entre tomber amoureux d'une voix et le rester d'une femme que l'on voit, il y a un monde. Dès l'instant où j'eus les yeux ouverts, Mary redevint un être humain au lieu d'un rêve, et ma passion s'évapora.

Chère maman,

Je t'ai envoyé un télégramme hier te disant que je m'étais levé deux heures et que j'avais pris un bain. Tu vois donc que je fais de sérieux progrès. Je suis arrivé ici il y a plus de deux mois et suis resté couché sur le dos sept semaines sans rien faire puis, peu à peu, je me suis assis et maintenant je commence à marcher. À mon arrivée ici, j'étais dans un triste état. Mes yeux ne s'ouvraient pas (mais j'étais conscient). On pensait que j'avais une fracture du crâne, mais je crois que les radios ont prouvé le contraire. J'avais le nez complètement enfoncé mais ils ont ici de merveilleux chirurgiens de Harley Street mobilisés comme grands patrons, et le spécialiste de l'oreille, du nez et de la gorge m'a ressorti le pif du fond du crâne pour le remettre en place et lui rendre la forme qu'il avait, sauf qu'il est un peu de travers. Tout ça s'est passé, naturellement, sous anesthésie générale.

J'ai encore mal aux yeux si je lis ou écris beaucoup, mais, à leur avis, tout redeviendra bientôt normal et je serai capable de voler dans trois mois. Entretemps, j'ai encore six semaines ou plus de convalescence à passer ici à Alexandrie à ma sortie de l'hôpital, n'ayant rien à faire sous ce climat de rêve qui ressemble beaucoup à un été anglais, sauf qu'ici le soleil brille tous les jours.

Je suppose que tu aimerais savoir comment je me suis écrasé au sol. Eh bien, je ne suis pas autorisé à te donner des détails sur ce que je faisais au moment où c'est arrivé. Mais ça s'est passé de nuit pas très loin des premières lignes italiennes. L'avion était en feu et après l'accident, j'étais tout juste assez conscient pour m'extraire du cockpit après avoir défait mes sangles et rouler sur le sol pour éteindre ma combinaison qui commençait à cramer. Je n'ai pas été gravement brûlé, mais je saignais beaucoup de la tête. Toujours est-il que j'étais là, par terre, attendant que les munitions restées dans ma mitrailleuse explosent. L'une après l'autre, environ mille balles ont sauté en sifflant dans tous les sens. J'avais l'impression d'être le seul à ne pas être touché.

Je ne m'étais pas évanoui jusque-là et je crois que c'est grâce à ça que je n'ai pas été rôti.

Enfin, par chance, une de nos patrouilles avancées a vu les flammes et, au bout d'un moment, ils sont arrivés, m'ont ramassé et, après un tas d'histoires, je suis arrivé à Marsa-Matrouh (tu verras sur la carte, c'est sur la côte, à l'est de la Libye). Là, j'ai entendu un docteur dire : « Oh, mais c'est un Italien. » (Ma combinaison de vol blanche n'était guère reconnaissable.) Je lui ai dit de ne pas déc… et il m'a donné de la morphine. Vingt-quatre heures plus tard à peu près, je suis arrivé où je suis maintenant, vivant dans le grand luxe avec une foule d'infirmières anglaises charmantes pour s'occuper de moi…

P.-S. Les raids aériens ne nous inquiètent pas. Les Italiens sont de très mauvais bombardiers.

Tout le temps que je passai à l'hôpital, mon unique obsession fut de reprendre le combat. Les médecins me dirent que c'était pratiquement sans espoir. Ils m'expliquèrent que, même si je retrouvais une vision parfaite, il faudrait encore tenir compte de mes blessures à la tête. Des lésions aussi sérieuses n'étaient pas faciles à guérir, me dirent-ils, et je ferais mieux de me résigner à la perspective d'être rapatrié au pays comme non-combattant. Je dois admettre aujourd'hui – encore que j'évitai d'en parler sur le moment – que, durant plusieurs semaines après avoir recouvré la vue, je souffris de maux de tête terribles, mais qui allèrent en s'atténuant peu à peu.

Après quatre mois d'hôpital, je fus autorisé à sortir de mon lit et je pris l'habitude de rester des heures durant en robe de chambre à ma fenêtre. Le seul paysage qui s'offrait directement à moi, d'intérêt limité, était la cour de l'établissement mais, de l'autre côté de la cour, je distinguais une immense fenêtre donnant sur un large couloir. Un matin, je vis un infirmier suivre ce couloir, portant un vaste plateau couvert d'un linge blanc. Venant en sens inverse vers l'infirmier, marchait une femme entre deux âges, appartenant sans doute au personnel civil de l'hôpital. Comme l'infirmier arrivait à la hauteur de cette femme, il arracha brusquement le tissu couvrant le plateau et fourra celui-ci sous le nez de la femme. Sur le plateau était posée la jambe nue amputée d'un soldat. Je vis la pauvre femme vaciller en arrière, puis l'odieux infirmier éclater de rire, rabattre le tissu et repartir. Je vis la femme s'approcher en titubant de la fenêtre et se pencher à l'extérieur, la tête dans les mains. Puis, après un instant, elle se ressaisit et s'éloigna. Jamais je n'ai oublié cette petite illustration du répugnant comportement d'un homme vis-à-vis d'une femme.

Chère maman,

Je ne t'ai pas écrit depuis ma seule et unique lettre il y a quelques semaines surtout parce que les docteurs m'ont dit que ce n'était pas bon pour moi.

À la vérité, j'ai fait des progrès très lents. Comme je te l'ai dit dans mon télégramme, j'ai commencé à me lever, mais on m'a bientôt recollé au lit à cause de mes maux de tête épouvantables. Il y a huit jours, on m'a mis dans cette chambre séparée et je viens de passer une semaine complète sur le dos dans une demi-obscurité à ne rien faire du tout, sans même avoir le droit de lever un doigt pour me laver. Enfin, c'est passé et, aujourd'hui, je suis assis (il est huit heures du soir) et, tandis que je t'écris, je me sens très bien. Demain, je crois qu'on va me faire deux piqûres intraveineuses de sérum et d'extrait hypophysaire et me faire avaler des litres d'eau – un autre truc pour me débarrasser des maux de tête. Inutile de t'inquiéter, il n'y a rien de vraiment détraqué chez moi. J'ai simplement subi un choc très sérieux. On me dit que je ne volerai certainement pas avant six mois et, la semaine dernière, ils étaient prêts à me renvoyer en Angleterre comme invalide par le premier convoi. Mais moi, je n'en avais aucune envie. Une fois rentré et étiqueté invalide, je savais que jamais plus je ne pourrais voler, et d'ailleurs, qui a envie d'être rapatrié comme invalide ? Quand je repartirai, je veux que ce soit dans des conditions normales…

Finalement, je quittai l'hôpital en février 1941, cinq mois après y être entré. On m'accorda un mois de convalescence que je passai à Alexandrie dans un luxe total chez des Anglais charmants et fortunés du nom de Peel. Dorothy Peel était une visiteuse régulière à l'hôpital anglo-suisse et, quand elle apprit que j'allais bientôt sortir, elle me déclara :

– Venez donc habiter chez nous.

Alexandrie, en convalescence dans le jardin des Peel

Ce que je fis et j'eus bien de la chance de débarquer dans un endroit aussi somptueux, au milieu de gens aussi aimables, pour m'y remettre d'aplomb avant d'entamer le round suivant.

Au bout d'un mois chez les Peel, je me rendis à la visite médicale au centre de la RAF du Caire et ce fut un grand jour pour moi lorsqu'on me déclara de nouveau apte à piloter.

Mais qu'était devenue ma vieille escadrille ?

La 80, découvris-je, ne se trouvait plus dans le désert. Elle avait été envoyée loin de l'autre côté de la mer, en Grèce où, durant quelques semaines, elle s'était courageusement battue contre les envahisseurs italiens. Mais, maintenant, l'armée et l'aviation allemandes s'étaient jointes aux Italiens en Grèce et étaient en train d'envahir rapidement ce petit pays. Il était évident aux yeux de tous, même alors, que le dérisoire corps expéditionnaire britannique et la poignée d'avions de la RAF basés en Grèce n'allaient pas tenir longtemps contre le colosse germanique.

— Où dois-je donc me rendre ? demandai-je.

— En Grèce, bien entendu, me répondit-on.

Puis on m'expliqua que l'escadrille 80 ne volait plus sur des Gladiator. Elle était maintenant équipée de Mark I Hurricane. Je devais apprendre à piloter le plus vite possible un Hurricane et je m'envolerai avec vers la Grèce pour rejoindre mon unité.

Quand j'appris la nouvelle, je me trouvais à Ismaïlia. Un capitaine me montra un Hurricane sur la piste et me dit :

– Vous pouvez prendre deux ou trois jours pour apprendre à voler dessus et, ensuite, vous partez avec pour la Grèce.

– Je pilote ce taxi jusqu'en Grèce ? m'enquis-je.

– Évidemment.

– Où est-ce que je fais escale pour me ravitailler en carburant ?

– Pas d'escale. Vous y allez d'une traite.

– Et ça va me prendre combien de temps ?

– Environ quatre heures et demie.

Même moi, je savais qu'un Hurricane n'emportait de carburant que pour une heure et demie de vol et j'en fis l'observation au capitaine.

– Ne vous inquiétez pas de ça, dit-il. Nous adaptons des réservoirs supplémentaires sous les ailes.

– Et ils fonctionnent ?

– Quelquefois, dit-il avec un sourire ironique. Vous pressez un petit bouton et si vous avez de la chance, une pompe injecte l'essence des réservoirs d'ailes dans le réservoir principal.

– Et si la pompe ne marche pas ?

– Vous sautez en parachute dans la Méditerranée et vous nagez.

– Non, dis-je, soyons sérieux. Qui me ramasse ?

– Personne, me répondit-il. C'est un risque à courir.

« Voilà, me dis-je, un curieux gaspillage de capital humain et matériel. » J'étais dénué de toute expérience du combat aérien avec l'ennemi. Jamais je n'avais appartenu à une escadrille en opération. Et, maintenant, on voulait que je prenne les commandes d'un avion que je n'avais jamais piloté et que je le mène jusqu'en Grèce pour y combattre une aviation de guerre hautement entraînée et dont le rapport de forces par rapport au nôtre était de cent contre un.

En ajustant mon harnais à bord du Hurricane pour la première fois, j'étais comme pétrifié. C'était le premier monoplan et sans aucun doute le premier appareil moderne sur lequel je volais. Il était infiniment plus puissant, plus rapide, plus difficile à manier que tout ce que j'avais pu approcher jusque-là. Jamais, je n'avais piloté d'avion à train rentrant. Jamais, je n'avais piloté un avion avec des volets que l'on utilisait pour ralentir la vitesse à l'atterrissage. Jamais, je n'avais piloté un avion avec une hélice à pas variable ou possédant huit mitrailleuses dans les ailes.

Enfin, tant bien que mal, je réussis à faire décoller mon Hurricane et à me poser sans rien casser, mais j'avais l'impression de monter un cheval de rodéo. Je commençais tout juste à connaître l'emplacement des divers boutons et manettes et à savoir à quoi ils servaient quand, deux jours s'étant écoulés, je dus partir pour la Grèce.

L'idée de me parachuter en pleine Méditerranée me tracassait beaucoup moins que celle de passer quatre heures et demie coincé dans ce minuscule cockpit de métal. Avec mon mètre quatre-vingt-quinze, en me casant à bord d'un Hurricane, j'avais à peu près la position d'un bébé encore dans le sein de sa mère, avec les genoux touchant presque le menton. J'étais capable de supporter cette position pendant des vols de courte durée, mais quatre heures et demie au-dessus de la mer, d'Égypte en Grèce, représentaient une tout autre épreuve. Je n'étais pas certain de pouvoir la surmonter.

Je décollai le jour suivant du sinistre terrain sablonneux d'Abu Suweir et, deux heures après, survolant la Crète, j'étais pris de terribles crampes dans les deux jambes. Mon réservoir principal étant presque vide, je pressai le petit bouton qui actionnait la pompe des réservoirs auxiliaires. La pompe fonctionna, le réservoir principal se remplit exactement comme prévu et je poursuivis ma route.

Après quatre heures et quarante minutes de vol, je me posai enfin sur l'aérodrome d'Éleusis, près d'Athènes, mais j'étais alors tellement tétanisé par des crampes atroces dans les jambes qu'il fallut deux robustes gaillards pour me soulever et m'extirper du cockpit. Du moins avais-je enfin rejoint mon unité.

Ismaïlia
12 avril 1941

Chère maman,
Un mot très bref pour te dire que je pars dans quelques instants vers le nord au-dessus de la mer pour rejoindre mon escadrille. Je t'ai télégraphié à ce sujet aujourd'hui en te donnant ma prochaine adresse. Tu resteras peut-être sans nouvelles de moi assez longtemps, alors ne t'inquiète pas trop…

Première rencontre
avec l'ennemi

Ainsi j'étais en Grèce. Quel contraste avec l'Égypte et ses sables brûlants que j'avais laissés derrière moi moins de cinq heures plus tôt ! Ici, c'était le printemps, le ciel était d'un bleu laiteux et l'air d'une agréable tiédeur. Une brise légère soufflait de la mer au-delà du Pirée et, comme je tournais la tête et regardais vers l'intérieur des terres, je distinguai à cinq ou six kilomètres au plus une ligne de montagnes massives et rocailleuses, nues comme des ossements. Le terrain sur lequel j'avais atterri n'était guère plus qu'un pré verdoyant émaillé de fleurs bleues, jaunes et rouges par millions.

Les deux soldats qui m'avaient aidé à extraire ma carcasse engourdie du cockpit du Hurricane s'étaient montrés pleins de commisération. Appuyé contre l'aile de l'appareil, j'attendais que les crampes se dissipent dans mes jambes.

– Vous étiez pas mal coincé là-dedans, pas vrai ? dit l'un.

– Pas mal, oui, répondis-je.

– Un type de votre gabarit ne devrait pas voler sur un chasseur, reprit-il. Ce qu'il vous faut, c'est un grand malabar de bombardier où vous pourriez allonger vos guibolles.

– Oui, dis-je. Vous avez raison.

Ce soldat aviateur était caporal. Il avait sorti mon parachute du cockpit et venait de le déposer près de moi sur le sol. Comme il restait à mes côtés, je compris qu'il avait envie de poursuivre la conversation.

– Vraiment, je pige pas, reprit-il. Vous amenez ici un taxi tout neuf, un taxi impeccable sorti droit de l'usine, et vous l'amenez depuis l'Égypte dans ce foutu trou perdu et qu'est-ce qu'il va devenir, votre zinc ?

– Quoi ?

– Il est même venu d'encore plus loin que l'Égypte ! s'exclama-t-il. Il est venu d'Angleterre, voilà… C'est de là-bas qu'il vient ! De l'Angleterre en Égypte et au-dessus de la Méditerranée jusqu'à cette saleté de cambrousse… Et tout ça pour quoi ? Qu'est-ce qu'il va devenir ?

– Qu'est-ce qu'il va devenir ? répétai-je, déconcerté par cette subite harangue.

– Je vais vous le dire, moi, ce qu'il va devenir, enchaîna le caporal en s'échauffant. Bing ! Bang ! Crash ! Descendu en flammes ! Explosé en l'air ! Bousillé au sol par les 109, exactement là où nous sommes en ce moment ! Bon Dieu, mais il ne va pas durer une semaine ici, ce taxi ! Y en a pas un qui tient…

– Ne dites pas ça, intervins-je.

– Si je le dis, fit-il, c'est que c'est la vérité vraie.

– Mais pourquoi être si pessimiste ? m'enquis-je. Qui va nous mettre dans un tel pétrin ?

– Les Chleuhs, bien sûr ! s'écria-t-il. Les Chleuhs qui grouillent dans tout le pays comme la vermine ! Ils ont au moins *mille avions* de l'autre côté de ces montagnes, et nous, qu'est-ce qu'on a, hein ?

– Bon, d'accord, dis-je. Qu'est-ce qu'on a ?

J'étais curieux de connaître la réponse.

– Ce qu'on a ? Une vraie misère, dit le caporal.

– Dites-moi.

– Ce qu'on a, c'est exactement ce que vous pouvez voir sur ce foutu terrain, dit-il. Quatorze Hurricane. Non, pas quatorze. Quinze, depuis que vous avez amené celui-là !

Je refusais de le croire. Il n'était pas possible que, dans toute la Grèce, il ne nous reste que quinze Hurricane.

– Vous en êtes vraiment sûr ? demandai-je, accablé.

– Est-ce que je mens ? fit-il en se tournant vers son camarade. Dis donc à cet officier si je raconte des bobards ou si c'est la vérité.

– Vérité d'évangile, affirma le second soldat.

– Et les bombardiers ? demandai-je.

– Il y a quelque chose comme quatre malheureux Blenheim à Menidi, dit le caporal. Et ça s'arrête là. Quatre Blenheim et quinze Hurricane, voilà toute la panoplie de la RAF en Grèce.

– Mon Dieu ! m'exclamai-je.

– Encore une semaine, enchaîna-t-il, et on se retrouvera tous culbutés dans la mer en train de rentrer chez nous à la nage.

– J'espère que vous vous trompez.

– Il y a cinq cents chasseurs et cinq cents bombardiers chleuhs dans les parages, continua-t-il. Et nous, qu'est-ce qu'on peut aligner en face ? Une quinzaine de Hurricane de misère et… bon sang, qu'est-ce que je suis content de ne pas être dedans ! Si vous aviez un peu de jugeote, mon vieux, vous seriez resté peinard là-bas en Égypte.

Je comprenais sa nervosité et ne pouvais pas la lui reprocher. Les rampants dans une escadrille – mécanos, ajusteurs et régleurs – étaient virtuellement des non-combattants. N'étant pas destinés à monter en ligne, ils n'étaient pas armés et jamais on ne leur avait appris à se battre ou à se défendre. Dans une pareille situation, il valait mieux être pilote que de rester au sol. Les chances de survie étaient peut-être beaucoup plus minces pour le pilote, mais il disposait d'un merveilleux engin de combat.

Le caporal, cela se voyait à ses mains souillées de cambouis, était un régleur. Il avait pour tâche d'entretenir les gros moteurs Rolls-Royce Merlin des Hurricane et, sans aucun doute, celui-ci aimait-il vraiment son travail.

– Un taxi tout neuf comme ça, répéta-t-il, suivant son idée, en posant une main graisseuse sur l'aile de métal et en la caressant doucement. Une machine qu'il a fallu des *milliers d'heures* pour assembler. Et maintenant, ces connards derrière leurs bureaux du Caire l'envoient ici où elle ne va pas durer deux minutes…

– Où est la salle d'ops ? lui demandai-je.

Éleusis

Il me montra du doigt une petite baraque en bois de l'autre côté du terrain d'atterrissage. Près de la baraque s'alignaient une trentaine de tentes. Je balançai mon parachute par-dessus mon épaule et me dirigeai vers la cabane en traversant le terrain.

Je me rendais compte jusqu'à un certain point de l'épineuse situation militaire dans laquelle j'intervenais. Je savais qu'un corps expéditionnaire britannique réduit, soutenu par une aviation également limitée, avait été envoyé d'Égypte en Grèce quelques mois plus tôt pour contenir les envahisseurs italiens et, tant qu'il ne s'était agi que de ces derniers, les Anglais avaient réussi à s'en tirer.

Mais, dès que les Allemands avaient décidé de s'en mêler, tout espoir était devenu vain. Le problème auquel se heurtaient maintenant les Britanniques était d'évacuer leurs forces de Grèce avant qu'elles soient détruites ou capturées. C'était Dunkerque qui se répétait, mais cette opération ne recevait pas la même publicité que Dunkerque car elle résultait d'une énorme bourde militaire que l'on cherchait le mieux possible à camoufler. Sans doute tout ce que le caporal m'avait raconté était-il plus ou moins vrai, mais bizarrement, ces nouvelles alarmantes me laissaient de glace. J'étais assez jeune et pétri d'idéal pour ne considérer cette escapade en Grèce que comme une exaltante aventure. L'idée que je ne ressortirais peut-être jamais vivant de ce pays ne m'effleurait pas. Elle aurait dû, au contraire, me hanter et, rétrospectivement, je m'étonne encore. Me serais-je un instant attardé à calculer mes chances d'y rester que j'aurais pu les estimer à cinquante contre une, chiffre suffisant pour donner le frisson.

J'ouvris la porte de la salle d'ops et entrai. Il y avait trois hommes à l'intérieur : le commandant, chef d'escadrille lui-même, un capitaine et un sergent radio avec des écouteurs sur les oreilles. Je ne connaissais aucun des trois. Officiellement, j'appartenais à l'escadrille 80 depuis plus de six mois, mais je n'avais jusquelà jamais réussi à la rejoindre. À ma dernière tentative, j'avais fini dans un feu de joie au milieu du désert. Le commandant avait une moustache noire et portait le ruban de la Distinguished Flying Cross sur la poitrine. Il avait également la mine soucieuse.

–Oh, bonjour, dit-il. Nous vous attendions depuis quelque temps.

– Je regrette d'être en retard, dis-je.

– Six mois de retard, précisa-t-il. Vous pouvez trouver un lit dans l'une des tentes. Vous commencez à voler demain comme les autres.

Cet homme était visiblement préoccupé et souhaitait se débarrasser de moi, mais j'hésitai un instant. C'était un choc pour moi d'être congédié de façon aussi abrupte. J'avais fourni une somme d'efforts considérable pour me remettre d'aplomb et rallier enfin mon escadrille et j'attendais au moins un bref « content que vous ayez réussi » ou bien « j'espère que vous vous sentez mieux ». Mais ici – je m'en rendis brusquement compte – se jouait une partie d'une tout autre nature. Ici, les pilotes tombaient comme des mouches. Quelle différence pouvait bien faire un homme supplémentaire quand il n'y en avait que quatorze ? Aucune. Ce que voulait le commandant de l'escadrille, c'était un renfort de cent appareils et de cent pilotes et non d'un seul.

Je sortis de la salle d'ops portant toujours mon parachute sur l'épaule. De ma main libre, je tenais un grand sac en papier marron contenant tous les biens que j'avais pu emmener : une brosse à dents, un tube à moitié plein de pâte dentifrice, un rasoir, un tube de crème à raser, une chemise de rechange kaki, un cardigan bleu, un pyjama, mon carnet de bord et mon cher appareil photo. Depuis l'âge de quatorze ans, j'avais été un photographe enthousiaste, commençant en 1930 avec un vieil appareil à plaques à double soufflet, opérant moi-même le développement et l'agrandissement.

Maintenant, je possédais un Zeiss Super Ikonta avec un objectif Tessar F 6-3.

Au Moyen-Orient, en Égypte comme en Grèce, à moins que ce ne fût l'hiver, nous ne portions comme vêtements qu'une chemise, un short et des bas kaki et, même en vol, nous nous souciions rarement de mettre un pull-over. Le sac que je tenais à la main, tout comme le carnet de vol et l'appareil photo, avait été casé sous mes jambes pendant la durée du vol car il n'y avait de place nulle part ailleurs.

Je devais partager une tente avec un autre pilote et quand, baissant la tête, je pénétrai à l'intérieur, mon compagnon, assis sur son lit de camp, passait un bout de ficelle dans les œillets d'un de ses souliers dont le lacet avait cassé. Il avait un long visage sympathique et se présenta sous le nom de David Coke (prononcez Cook). J'appris plus tard que David Coke venait d'une famille de haute noblesse et, aujourd'hui, s'il n'avait pas été tué plus tard à bord de son Hurricane, il serait devenu comte de Leicester, possédant l'une des demeures les plus vastes et les plus somptueuses d'Angleterre, encore que jamais de ma vie je n'ai rencontré un homme se comportant aussi peu comme un futur comte. Il était chaleureux, brave, généreux et, au cours des semaines qui suivirent, nous devions devenir des amis très proches. Je m'assis sur mon propre lit de camp et entrepris de lui poser diverses questions.

— La situation est-elle aussi désastreuse qu'on me l'a dit ? lui demandai-je.

— Elle est absolument sans espoir, répondit-il, mais

on tâche de tenir le coup. Nous serons d'un jour à l'autre à portée des chasseurs allemands, et ensuite le handicap sera de cinquante contre un. S'ils ne nous liquident pas en l'air, ils nous balaieront au sol.

– Écoute, dis-je, je n'ai encore jamais combattu. Je n'ai aucune idée de ce que je dois faire si j'en rencontre un.

David Coke me dévisagea comme s'il voyait un fantôme. Il n'aurait pas eu l'air plus estomaqué si je lui avais soudain déclaré que je n'avais jamais mis les pieds dans un avion.

– Tu ne veux pas me dire, fit-il, le souffle coupé, que tu débarques dans un endroit pareil sans aucune expérience de la chasse ?

– J'ai bien peur que si, avouai-je, mais j'espère qu'on me fera voler avec un vieux routier qui connaîtra la musique.

David Coke et sa mascotte

– Tu n'as pas de chance, dit-il. Ici, on part tout seul. Jamais l'idée ne leur est venue qu'il valait mieux voler à deux. Je crains que tu ne sois livré à toi-même dès le début. Mais, sérieusement, jamais tu n'as encore appartenu à une escadrille ?

– Jamais.

– Le commandant est au courant ?

– Je ne crois pas qu'il ait songé à ce détail, dis-je. Il m'a simplement annoncé que j'allais voler demain comme les autres.

– Mais d'où arrives-tu donc, bon sang ? dit-il. Jamais on n'a envoyé un pilote sans aucune expérience dans un coin pareil.

Je lui racontai brièvement ce qui m'était arrivé au cours des six mois précédents.

– Nom de nom ! fit-il. Tu te rends compte d'un secteur pour débuter ! Combien d'heures de vol as-tu sur Hurricane ?

– À peu près sept.

– Mon Dieu ! s'écria-t-il. En somme, tu sais à peine piloter ton engin !

– En vérité, je ne sais pas, repris-je. Je peux décoller et atterrir, mais jamais je n'ai essayé de faire de la voltige avec.

Il resta un moment assis, silencieux, ne parvenant pas à croire ce que je lui disais.

– Tu es ici depuis longtemps ? lui demandai-je.

– Pas très. J'ai participé à la bataille d'Angleterre avant de venir ici. C'était déjà dur mais, à côté de ce coin infernal, c'était du gâteau. On n'a pas de radar ici et pratiquement pas d'alternat-radio. On ne peut communiquer avec le sol que si on est à la verticale du terrain, et on ne peut pas se parler entre nous en vol. Il n'y a pratiquement aucune communication. Les Grecs sont notre radar. Nous avons un paysan grec au sommet de chaque montagne à des kilomètres à la ronde et, quand il repère un groupe de zincs allemands, il appelle la salle d'ops ici avec un téléphone de campagne. Voilà notre radar.

– Et ça marche ?

– De temps en temps, oui. Mais la plupart de nos informateurs sont incapables de reconnaître un Messerschmitt d'une voiture d'enfant.

Il était arrivé à passer la ficelle dans tous les œillets de son soulier et se pencha pour se rechausser.

– Les Allemands ont vraiment mille appareils en Grèce ? demandai-je.

– C'est bien probable, dit-il. Oui, je crois que c'est vrai. Tu comprends, pour eux, la Grèce n'est qu'une première étape. Après avoir pris le pays, ils ont l'intention de pousser au sud et d'envahir aussi la Crète. Ça, j'en suis certain.

Assis sur nos lits de camp, nous nous mîmes à ruminer sur l'avenir du monde. Il m'apparaissait singulièrement problématique.

Puis David Coke reprit la parole :

– Comme tu n'as l'air au courant de rien, autant que je te renseigne un peu. Qu'est-ce que tu voudrais savoir ?

– D'abord, dis-je, qu'est-ce que je fais quand je rencontre un 109 ?

– Tu essaies de te mettre dans sa queue. Tu tâches de virer plus serré que lui. Si tu le laisses se mettre dans ta queue à toi, tu y as droit. Un Messerschmitt a des canons dans les ailes. Nous, on n'a que des balles ordinaires et qui ne sont même pas incendiaires. Le frisé a des obus qui explosent dès qu'ils te touchent. Nos balles ne font que des petits trous dans le fuselage. Donc, il faut que tu le touches en plein dans le moulin si tu veux le descendre. Lui, il peut te toucher n'importe où et l'obus explosif te mettra en compote.

Je m'efforçai d'assimiler ces premiers renseignements.

– Autre chose, enchaîna-t-il. Jamais, au grand jamais, tu ne dois détacher les yeux de ton rétroviseur plus de quelques secondes. Ils arrivent derrière toi et ils arrivent très vite.

– J'essaierai de m'en souvenir. Et qu'est-ce que je fais si je rencontre un bombardier ? Quelle est la meilleure façon de l'attaquer ?

– Les bombardiers que tu rencontreras seront pour la plupart des Ju 88, dit-il. Le Ju 88 est un très bon appareil. Il est presque aussi rapide que toi et il a un mitrailleur à l'avant et un autre à l'arrière. Sur le Ju 88, les mitrailleurs tirent des balles traçantes incendiaires et ils visent avec leurs seringues comme avec un tuyau d'arrosage. Ils voient exactement où vont leurs pruneaux, ce qui les rend très dangereux. Donc, si tu attaques un Ju 88 de côté, arrange-toi pour être bien au-dessous et hors de portée du mitrailleur de queue. Mais comme ça, tu ne pourras pas l'abattre. Pour ça, il faut que tu touches un de ses moteurs. Et, dans la manœuvre, tiens bien compte de la déflexion. Vise devant lui. Prends le nez de son moulin dans le bord extérieur de ton viseur.

Je comprenais à peine de quoi il parlait mais, hochant la tête, je lui répondis :

– D'accord, j'essaierai de me débrouiller.

– Oh, mon Dieu ! reprit-il. Je ne peux pas t'apprendre à descendre des Allemands en une leçon. Si seulement je pouvais t'emmener avec moi là-haut demain pour te surveiller un peu…

– Tu ne peux pas ? dis-je avec empressement. On pourrait demander au commandant.

– Aucune chance, dit-il. On part toujours seul, sauf quand on fait un balayage de secteur, alors on prend l'air en formation. (Il s'interrompit et passa les doigts dans ses cheveux châtains.) L'ennui ici, c'est que le commandant ne parle presque pas à ses pilotes. Il ne vole même pas avec eux. Il a bien dû décoller une fois puisqu'il a la DFC, mais jamais je ne l'ai vu monter dans un Hurricane. Pendant la bataille d'Angleterre, le chef d'escadrille volait toujours avec ses pilotes et il donnait des tas de conseils aux nouveaux, il les aidait. En Angleterre, on décollait toujours à deux et un nouveau montait toujours avec un gars chevronné. Et, pendant la bataille d'Angleterre, nous avions le radar et une radio qui marchait impeccablement. On pouvait parler avec le sol et avec les autres en l'air. Mais pas ici. Ce qu'il faut te rappeler avant tout, c'est que tu ne dois compter que sur toi-même. Personne ne va te donner un coup de main, même pas le commandant.

Pendant la bataille d'Angleterre, on était aux petits soins pour les nouveaux.

– Les vols sont finis pour aujourd'hui ? lui demandai-je.

– Oui, répondit-il. Il va bientôt faire nuit. En fait, il est temps d'aller dîner, je vais t'emmener.

Le mess des officiers était une tente assez grande pour abriter deux longues tables sur des tréteaux, une avec la nourriture et l'autre autour de laquelle on s'asseyait pour prendre les repas. Le menu se composait de corned beef avec des morceaux de pain accompagnés de vin résiné grec. Pour masquer la médiocre qualité de leur vin, les Grecs ont un truc qui consiste à l'additionner de résine de pin, leur idée étant que le goût de la résine est nettement moins épouvantable que celui du vin. Nous buvions du résiné parce que c'était la seule boisson disponible. Les autres pilotes de l'escadrille, tous jeunes et expérimentés qui avaient failli y rester plus d'une fois, me traitèrent avec la même indifférence que le commandant de l'escadrille. Les civilités étaient inexistantes dans cet endroit perdu. Les pilotes venaient, les pilotes s'en allaient. Les autres remarquèrent à peine ma présence. Il n'existait entre eux aucune amitié réelle. Le comportement de David Coke avec moi était exceptionnel mais, après tout, c'était un être exceptionnel. Je compris tout de suite que personne d'autre que lui ne songerait à prendre un débutant comme moi sous son aile. Chaque homme était embobiné dans le cocon de ses problèmes personnels, et le simple effort fourni pour essayer de rester vivant et en même temps de faire son devoir suffisait à accaparer les esprits. Ils étaient tous très silencieux. Personne ne plaisantait. On n'entendait guère que des remarques faites à mi-voix sur les pilotes qui n'étaient pas rentrés ce jour-là.

À l'un des mâts de la tente du mess était fixé un tableau d'affichage sur lequel était épinglée une feuille de papier avec les noms des pilotes qui devaient partir en patrouille le lendemain matin, et les heures des décollages. J'appris par David Coke que le pilote désigné pour une mission, après avoir décollé, commençait par tourner au-dessus du terrain en attendant que le contrôleur au sol l'appelle et lui indique le secteur exact où des avions ennemis avaient été repérés par l'un des gaziers grecs au sommet de leurs montagnes.

L'heure du décollage à côté de mon nom était dix heures du matin.

Le lendemain, à mon réveil, la seule pensée qui m'occupait l'esprit était la perspective de mon départ à dix heures, jointe à la quasi-certitude de rencontrer la Luftwaffe sous une forme ou sous une autre alors que, pour la première fois, je ne pouvais compter que sur moi-même. De telles pensées ont tendance à provoquer chez vous un certain relâchement des entrailles et je demandai à David Coke où se trouvaient les latrines. Il m'indiqua vaguement leur emplacement et je partis à leur recherche.

J'avais déjà vu des lieux d'aisance plutôt primitifs en Afrique orientale, mais les feuillées de l'escadrille 80 à Éleusis battaient tous les records. Une large tranchée de près de deux mètres de profondeur et de cinq mètres de long avait été creusée dans la terre. Sur toute la longueur de cette tranchée, une perche ronde était suspendue à environ un mètre vingt du sol et je regardai, horrifié, un soldat arrivé avant moi qui, ayant baissé son pantalon, tentait de s'asseoir sur la perche. La tranchée était si large qu'il pouvait tout juste atteindre la perche avec ses mains. Mais quand il y parvint, il dut pivoter sur lui-même et faire une sorte de saut en arrière dans l'espoir de pouvoir poser ses fesses sur la perche. Y étant parvenu d'extrême justesse, il dut agripper la perche à deux mains pour garder l'équilibre, mais cet équilibre, il le perdit et bascula en arrière dans la fosse répugnante. Je lui tendis la main pour l'aider à s'en sortir et il fila rapidement pour aller se laver je ne sais où. Je m'éloignai à mon tour et dénichai un coin derrière un olivier au pied duquel poussaient des fleurs sauvages.

À dix heures précises, j'étais sanglé dans mon Hurricane, prêt à décoller. Plusieurs autres étaient déjà partis seuls avant moi au cours de la demi-heure précédente et avaient disparu dans le ciel d'azur grec. Je m'envolai à mon tour, montai à cinq mille pieds et me mis à décrire des cercles autour du terrain tandis qu'un radio dans la salle d'ops essayait de me contacter sur mon appareil parfaitement inefficace. Mon nom de code était Blue Four.

Au milieu d'une tornade de friture, une voix lointaine ne cessait de répéter dans mes écouteurs :

– Blue Four, vous m'entendez, vous m'entendez ?

Et je répondais :

— Oui, mais à peine.

— Attendez les ordres, disait la voix à peine audible. Attendez les ordres.

Je continuais à voler en rond, admirant la mer bleue au sud et les hautes montagnes au nord et je commençais tout juste à me dire que c'était après tout une façon plutôt plaisante de faire la guerre quand la friture grésilla de nouveau et la voix me dit :

— Blue Four, vous me recevez ?

— Oui, répondis-je, mais parlez fort.

— Bandits survolant bateaux à Khalkis, dit la voix. Cap 035, 40 milles, niveau 80.

Selon la traduction de ce simple message que même moi je pouvais comprendre, si j'orientais sur mon compas ma route à 35 degrés et si je volais sur 40 milles, j'intercepterai avec un peu de chance à 8 000 pieds l'ennemi qui tentait de couler des bateaux au large d'un lieu appelé Khalkis.

Je pris donc mon cap et mis les gaz en espérant que je faisais tout ce qu'il fallait. Je vérifiai ma vitesse au sol et calculai qu'il me faudrait entre dix et onze minutes pour atteindre Khalkis. Je franchis le sommet d'une montagne avec une marge de cinq cents pieds et, au passage, j'aperçus une chèvre solitaire, brune et blanche, errant sur les dalles de rocher nu.

— Salut, chèvre ! fis-je à haute voix dans mon masque à oxygène. Je parie que tu ne sais pas que tu vas servir de dîner aux Allemands avant d'avoir eu le temps de vieillir.

À quoi, je m'en rendis compte aussitôt, la chèvre aurait aussi bien pu répondre : « J'en ai autant à ton service. Tu n'es pas mieux loti que moi. »

Puis je vis loin au-dessous de moi une sorte d'anse ou de fjord et un petit groupe de maisons proches du rivage. « Khalkis, me dis-je. Ce doit être Khalkis. »

Il y avait un gros cargo au milieu de l'anse et, comme je le regardais, je vis une énorme fontaine d'écume jaillir très haut en l'air à côté du bateau. Jamais je n'avais été témoin d'une explosion de bombe dans la mer, mais j'avais vu quantité de photos. Je scrutai le ciel au-dessus du cargo mais sans rien y voir. Je continuai mon inspection, estimant que, si une bombe était tombée du ciel, quelqu'un devait bien l'avoir lâchée. Deux puissantes cascades liquides s'épanouirent autour du bateau. Soudain, je repérai les bombardiers. Je vis les petits points noirs décrivant des cercles dans le ciel au-dessus du navire. Cette apparition me causa un choc ! C'était la première fois que je voyais l'ennemi depuis mon propre avion. Vivement, je rabattis la manette en laiton de mon bouton de tir de « sécurité » sur « feu ». J'enclenchai mon viseur et un cercle de lumière rouge pâle avec deux fils en croix apparut, suspendu en l'air, devant mes yeux. Je mis le cap droit sur les taches minuscules.

Trente secondes plus tard, les points étaient devenus des bombardiers bimoteurs noirs. Des Ju 88. J'en comptai six, jetai un coup d'œil au-dessus d'eux, mais ne remarquai aucune couverture de chasseurs. Je me souviens d'être resté parfaitement froid et lucide.

Mon unique souhait était d'accomplir ma tâche du mieux possible.

Il y a trois hommes à bord d'un Ju 88, ce qui lui donne trois paires d'yeux. Six Ju 88 ne possèdent donc pas moins de dix-huit paires d'yeux braquées sur le ciel. Si j'avais été un peu plus expérimenté, j'aurais compris cela beaucoup plus tôt et, avant de me rapprocher, j'aurais viré pour avoir le soleil derrière moi. Je serais aussi monté très vite pour me trouver bien au-dessus d'eux avant d'attaquer. Je ne fis rien de tout cela. Je me contentai de voler droit sur eux à leur niveau avec l'éclat du soleil de Grèce en pleine figure.

Ils me repérèrent alors que j'étais encore à plus de huit cents mètres et, soudain, les six bombardiers basculèrent pour plonger droit vers une massive chaîne de montagnes derrière Khalkis.

On m'avait bien prévenu qu'il ne fallait jamais mettre la manette des gaz en surpuissance sauf en cas d'extrême urgence. Se mettre en surpuissance équivalait à pousser le gros moteur Rolls-Royce à sa vitesse limite absolue, effort maximal qu'il ne pouvait pas supporter plus de trois minutes. « OK, me dis-je. C'est une urgence. » Et je poussai la manette en surpuissance. Le moteur se mit à rugir et le Hurricane bondit en avant. Je commençai à gagner du terrain sur les bombardiers. Ils avaient adopté une formation en ligne, ce qui, j'allais le découvrir bientôt, permettait aux six mitrailleurs de queue de me canarder en même temps.

Les montagnes dominant Khalkis sont sauvages, sombres et déchiquetées, et les Allemands fonçaient droit dessus en se maintenant au-dessous du niveau des sommets. Je suivis le mouvement. Parfois, nous volions si près des murailles que je voyais les vautours surpris s'envoler à notre passage. Je me rapprochais toujours d'eux et, lorsque je me trouvai à environ deux cents mètres en arrière, les six mitrailleurs arrière ouvrirent le feu sur moi. David Coke m'avait bien prévenu : ils utilisaient des traceuses et, partant des six tourelles arrière, six jets de flammes orange vif convergeaient vers moi. On eût dit six minces jets d'eau drus et colorés lancés par six tuyaux d'arrosage. Le tableau était fascinant. Ces trajectoires semblaient lentes à leur départ des tourelles puis elles s'incurvaient dans l'air en venant dans ma direction et frôlaient soudain mon cockpit comme des fusées.

Je commençais à me rendre compte que je m'étais mis dans la pire des positions pour un chasseur à l'attaque lorsque brusquement le passage entre les montagnes de part et d'autre s'étrangla et les Ju 88 furent contraints de s'y engager en file indienne. Autrement dit, seul le dernier du groupe pouvait me tirer dessus. La situation s'améliorait. Maintenant, un unique chapelet de projectiles de feu s'égrenait vers moi. David Coke m'avait dit : « Vise un des moteurs. » Je me rapprochai encore un peu et, en me balançant latéralement, je réussis à centrer le moteur gauche du bombardier dans mon viseur. Visant légèrement en avant du moteur, je pressai le bouton. Le Hurricane fut pris d'une légère vibration tandis que les huit Browning dans les ailes se déclenchaient simultanément et, une seconde plus tard, je vis un large fragment du capot moteur de la taille d'un plateau de table roulante voltiger en l'air. « Nom d'un chien ! me dis-je. Je l'ai touché ! Je l'ai vraiment touché ! » Puis le moteur se mit à cracher un nuage de fumée noire et, peu à peu, presque au ralenti, le bombardier prit de la gîte sur la gauche et commença à perdre de l'altitude. Je réduisis les gaz. Il était bien au-dessous de moi maintenant. Je le voyais avec netteté en regardant au-dessous de mon cockpit. Il ne piquait pas du nez, ne tombait pas en vrille, il tournoyait avec lenteur comme une feuille, le moteur gauche émettant toujours une colonne de fumée noire. Puis je vis un... deux... trois hommes sauter hors du fuselage et basculer vers le sol, jambes et bras écartés en des attitudes grotesques et, un moment plus tard, un... deux... trois parachutes s'ouvrirent en corolle et se mirent à flotter doucement entre les parois rocheuses vers le fond étroit de la vallée.

Je contemplai un instant ce spectacle, fasciné. Je n'arrivais pas à croire que j'avais réellement descendu un bombardier allemand, mais j'étais infiniment soulagé de voir les parachutes.

Je remis les gaz et repris de l'altitude pour franchir les montagnes. Les cinq Ju 88 restants avaient disparu. Je regardai autour de moi et ne vis que des crêtes hérissées de pics de tous côtés. Je mis le cap vers le sud et, un quart d'heure plus tard, j'atterrissais à Éleusis. Je garai mon Hurricane et m'en extirpai péniblement. J'avais volé exactement une heure. Elle m'avait paru durer dix minutes. Lentement, je fis le tour de mon appareil pour examiner les dégâts éventuels. Miraculeusement, le fuselage semblait intact. La seule trace qu'avaient réussi à laisser les six mitrailleurs de queue des Ju 88 sur la cible que je leur avais offerte était un petit trou rond dans l'une des pales en bois de mon hélice. Je balançai mon parachute sur mon épaule et me dirigeai vers la salle d'ops. Je me sentais assez content de moi.

Comme la veille, le capitaine commandant l'escadrille était dans le baraquement avec le sergent radio, écouteurs aux oreilles. Le capitaine leva les yeux vers moi et fronça les sourcils.

– Comment vous en êtes-vous tiré ? demanda-t-il.

– J'ai descendu un Ju 88, dis-je, essayant de masquer la fierté et la satisfaction dans ma voix.

– Vous êtes sûr ? reprit-il. Vous l'avez vu s'écraser ?

– Non. Mais j'ai vu l'équipage sauter et les parachutes s'ouvrir.

– Bon, dit-il. Ça paraît assez convaincant.

– J'ai peur d'avoir un trou dans mon hélice.

– Dans ce cas, dit-il, demandez donc au mécano de vous réparer ça le mieux possible.

Notre entretien en resta là. J'attendais un peu plus, une tape sur l'épaule ou un « bien joué » avec un sourire, mais, comme je l'ai déjà dit, il avait beaucoup d'autres soucis en tête, y compris le sous-lieutenant Holman, parti une demi-heure avant moi et qui n'était pas rentré.

David Coke, lui aussi, avait volé ce matin-là et je le trouvai assis sur son lit de camp à ne rien faire. Je lui racontai mon aventure.

– Ne recommence jamais un coup pareil, dit-il. Ne te colle jamais derrière six Ju 88 en espérant t'en tirer car, la prochaine fois, tu y resteras.

– Qu'est-ce que tu as fait ? lui demandai-je.

– J'ai abattu un 109, dit-il, aussi calmement que s'il m'avait annoncé qu'il avait pêché un poisson dans la rivière de l'autre côté de la route. Le secteur va devenir très dangereux à partir de maintenant. Les 109 et les 110 pullulent comme des guêpes. Je te conseille d'être prudent la prochaine fois.

– J'essaierai, dis-je. Je ferai de mon mieux.

Le cargo de munitions

Le lendemain matin, je reçus l'ordre de partir en patrouille à six heures. Je décollai ponctuellement et montai en virages serrés à cinq mille pieds au-dessus du terrain. Le soleil venait d'émerger à l'horizon et je voyais le Parthénon, superbe, éclatant de blancheur sur la célèbre colline dominant Athènes. Ma radio crépita presque aussitôt et la voix de la salle d'ops me donna exactement les mêmes instructions que la veille. Je devais mettre le cap sur Khalkis où l'ennemi bombardait de nouveau les bateaux. Cinq Hurricane s'étaient envolés avant moi ce matin-là et je les avais vus partir dans diverses directions. L'ennemi était partout autour de nous et nous devions nous disséminer en un éventail des plus minces. Khalkis, semblait-il, m'était réservé.

J'avais appris la veille au soir dans la salle d'ops que le grand cargo mouillé devant Khalkis transportait des munitions. Il était chargé à ras bord d'explosifs de grande puissance et les Allemands ne l'ignoraient pas. Les braves Grecs qui se démenaient de leur mieux pour décharger les bombes, les obus, les caisses de cartouches et autres engins de mort amassés à bord savaient qu'un seul coup direct suffirait pour tout pulvériser, y compris la ville de Khalkis et la majorité de ses habitants.

J'arrivai au-dessus de Khalkis à 6 h 15. Le grand cargo était toujours là et, bord à bord, se trouvait maintenant une barge. Une grue hissait une énorme caisse hors de la cale du cargo et la transférait dans la barge. J'examinai le ciel à la recherche d'avions ennemis, mais n'en vis aucun. Sur le pont du bateau, un homme leva les yeux et agita sa casquette pour me saluer. Je fis coulisser la verrière de mon cockpit et lui rendis son salut.

J'écris ceci quarante-cinq ans après, mais je garde encore présente à l'esprit une image très nette de Khalkis vue de quelques centaines de mètres de hauteur par un clair matin d'avril. La petite ville avec ses maisons blanches immaculées et ses toits de tuiles rouges s'étendait en lisière de la baie et au-dessus se dressait l'horizon de montagnes gris-noir déchiquetées où j'avais poursuivi les Ju 88 la veille. Vers l'intérieur des terres s'ouvrait une large vallée aux champs verdoyants rehaussés de fleurs d'un jaune éclatant. Le paysage entier semblait avoir été peint à la surface de la terre par Vincent Van Gogh. De tous côtés et partout où je regardais s'offrait un panorama de beauté et, pendant quelques instants, je restai à ce point en admiration que je ne vis pas le gros Ju 88 qui grimpait vers moi avant qu'il touchât presque le ventre de mon avion. Il fonçait sur moi avec le jet incandescent de ses balles traçantes issu de son nez transparent et aplati de plexiglas et, pendant un centième de seconde, je vis réellement le mitrailleur avant courbé sur son arme qu'il serrait des deux mains en pressant sur la détente. J'entrevis son casque marron et son visage pâle sans lunettes sur les yeux ; il portait une combinaison de vol noire.

Je tirai le manche à moi avec une telle violence que l'appareil se cabra et monta verticalement comme une fusée. Le changement brutal de direction me fit perdre conscience et, quand je recouvrai la vue, le Hurricane au sommet de sa trajectoire ascensionnelle tenait debout sur la queue, pratiquement immobile. Le moteur crachotait et commençait à vibrer. « Il m'a eu, me dis-je. Mon moteur a été touché. » Je repoussai le manche en avant en espérant qu'il répondrait. Par miracle, l'avion piqua du nez, le moteur retrouva son régime et, quelques secondes plus tard, la merveilleuse machine volait de nouveau à l'horizontale. Mais où était passé l'Allemand ?

Je regardai en bas et le vis à mille pieds au-dessous. Ses ailes se détachaient sur le bleu de la baie et, bien que j'eusse peine à le croire, il m'ignorait complètement et maintenait le cap en direction du cargo de munitions ! Je mis les gaz et plongeai sur lui. En huit secondes, je l'avais rejoint, mais je piquais si droit et si vite que, le gros appareil gris-vert à peine apparu dans mon viseur, je n'eus le temps que de lâcher une très brève rafale avant de le dépasser et de tirer avec énergie sur le manche pour faire une ressource et éviter de m'écraser dans l'eau.

J'avais complètement raté mon coup. Pour la deuxième fois d'affilée, je m'étais rué à l'attaque sans songer une fraction de seconde à étudier la meilleure tactique à employer. Je remontai dans un puissant rugissement de moteur et virai très court sur l'aile pour l'attaquer à nouveau. Il volait toujours vers le bateau. Soudain se produisit un phénomène étrange. Je le vis brusquement piquer du nez et plonger tête la première à la verticale vers les eaux bleues de la baie de Khalkis. Il toucha la mer non loin du navire dans un gigantesque geyser blanc, puis les vagues se refermèrent sur lui et il disparut. « Comment diable ai-je réalisé ce prodige ? » me demandai-je. Une seule explication était possible. Par chance, une balle avait dû atteindre le pilote qui s'était effondré sur son manche et, le poussant en avant, avait déclenché la chute. Je vis plusieurs marins grecs sur le pont du navire qui brandissaient leurs casquettes et je les saluai en retour. Telle était ma stupidité. J'étais là, bien tranquille dans mon cockpit à gesticuler, oubliant que je volais dans un ciel hostile que pouvait envahir la Luftwaffe d'une seconde à l'autre. À peine avais-je fini d'échanger des signaux avec les marins qu'une vision me fit sursauter : il y avait des avions partout. Ils piquaient, montaient en chandelle, viraient de tous côtés et tous portaient des croix noires et blanches sur le fuselage et des croix gammées noires sur le gouvernail. Je sus tout de suite à quoi j'avais affaire. C'était les Messerschmitt 109, chasseurs redoutés. Je n'en avais jamais vu un seul jusque-là, mais je savais très bien à quoi ils ressemblaient. Je jurerais bien qu'ils étaient entre trente et quarante à sillonner le ciel à quelques centaines de mètres de moi. C'était un peu comme d'avoir une nuée de frelons autour de la tête et, très sincèrement, je ne savais pas comment m'en sortir. Ç'aurait été un pur suicide de faire face et de combattre et, à coup sûr, mon devoir était de sauver mon appareil à tout prix. Les Allemands possédaient des centaines de chasseurs. Il ne nous en restait qu'une poignée.

Je poussai le manche en avant, mis les gaz et piquai droit vers le sol. Il me semblait que, si je pouvais voler le plus bas possible en rasant les arbres et les haies, les pilotes allemands hésiteraient peut-être à prendre les mêmes risques.

Quand je ressortis de mon piqué, je volais à quatre cent quatre-vingts à l'heure à six ou sept mètres du sol. En dessous du niveau moyen des toits, c'était un exercice ultra-périlleux à exécuter à une vitesse pareille. Mais la situation était ultra-périlleuse. Je remontais maintenant la vallée jaune Van Gogh et un bref coup d'œil dans mon rétroviseur me montra une meute de 109 à mes trousses. Je descendis encore. En fait, je descendis si bas que je dus vraiment faire du saute-mouton au-dessus des oliviers disséminés un peu partout. Puis, prenant un risque énorme mais calculé, je descendis encore, effleurant les tiges des herbes hautes dans les champs. Je savais que les Allemands ne pouvaient pas m'atteindre à moins de descendre à ma hauteur et, même s'ils le faisaient, il fallait une telle concentration pour piloter un avion à grande vitesse presque au ras du sol qu'il était quasiment impossible de voler et de tirer en même temps. L'on ne me croira peut-être pas, mais je me souviens d'avoir dû cabrer mon appareil une fraction de seconde pour sauter un petit mur et plus loin, arrivant sur un troupeau de vaches, je ne suis pas sûr de ne pas avoir éraflé quelques cornes au passage avec mon hélice. Soudain, les Messerschmitt en eurent assez. Dans mon rétroviseur, je les vis dégager l'un après l'autre et… mon Dieu ! quel soulagement ce fut pour moi de remonter à une altitude plus sûre et de regagner Éleusis en revenant par-dessus les montagnes.

Je rapportais avec moi les mauvaises nouvelles à l'escadrille : nous nous trouvions maintenant à la portée des chasseurs allemands. Par centaines, ils pouvaient atteindre notre terrain à n'importe quel moment.

La bataille d'Athènes
20 avril

Les trois journées suivantes, 17, 18 et 19 avril 1941, sont un peu confuses dans ma mémoire. Le quatrième jour, le 20 avril, ne l'est pas du tout. Mon carnet de vol indique, à partir de la base d'Éleusis :

> *17 avril : décollé trois fois*
> *18 avril : décollé deux fois*
> *19 avril : décollé trois fois*
> *20 avril : décollé quatre fois*

Chacune de ces sorties impliquait la traversée au pas de course du terrain jusqu'à mon appareil garé ici ou là (souvent à deux cents mètres), l'ajustement des sangles, le décollage, le vol vers un secteur donné, l'engagement avec l'ennemi, le retour, l'atterrissage, le rapport à la salle d'ops, le contrôle du ravitaillement immédiat en carburant et en munitions en vue d'un nouveau départ.

Douze sorties contre l'ennemi en quatre jours représentent, selon n'importe quels critères, un rythme plutôt harassant et chacun de nous savait que, à chaque mission, un homme y laisserait sa peau, soit l'Allemand, soit le pilote du Hurricane.

Je me disais que les chances d'y rester ou d'en revenir étaient à peu près égales, mais, en réalité, mes calculs étaient absolument faux. Quand vous étiez partant à dix contre un à chaque course, un bookmaker, s'en fût-il trouvé un sur le terrain, vous aurait sans doute pris invariablement à cinq contre un perdant.

De même que tous les autres, je partais toujours seul. J'aurais bien voulu parfois pouvoir voler en patrouille à côté d'une aile amicale et surtout d'une seconde paire d'yeux pour m'aider à surveiller le ciel en arrière et au-dessus, mais nous ne possédions pas assez d'appareils pour nous offrir un tel luxe.

Parfois, je volais au-dessus du Pirée, pourchassant les Ju 88 qui bombardaient les bateaux dans le port. Parfois, je me trouvais dans le secteur de Lamia, tentant d'empêcher la Luftwaffe d'attaquer notre armée en retraite, encore que je ne vois pas comment quiconque pouvait penser qu'un Hurricane isolé pût jouer le moindre rôle dans l'opération. Une ou deux fois, je rencontrai les bombardiers au-dessus d'Athènes même où ils venaient en général par groupes de douze. En trois occasions, mon Hurricane fut durement touché, mais les mécanos de l'escadrille 80 avaient un don quasi magique pour boucher les trous du fuselage ou réparer un longeron endommagé. Nous fûmes tellement surmenés au cours de ces quatre journées que les victoires individuelles passaient presque inaperçues et n'étaient pas enregistrées. Et, contrairement aux chasseurs d'Angleterre, nous n'avions pas de caméra pour prouver ou non que nous avions atteint la cible. Tout notre temps, semblait-il, se passait à galoper vers nos avions, à monter en l'air, à foncer sur un point ou un autre pour chasser le Chleuh, à presser le bouton de tir, à revenir se poser à Éleusis et à repartir.

Selon mon carnet de vol, le 17 avril, nous perdîmes le sergent pilote Cottingham et le sergent pilote Rivelon avec leurs appareils.

Le 18 avril, le sous-lieutenant Oofy Still partait pour ne pas revenir. Je me souviens d'Oofy Still comme d'un jeune homme souriant avec des taches de rousseur et des cheveux flamboyants.

Nous étions maintenant réduits à douze Hurricane et douze pilotes pour tout le territoire de la Grèce, à partir du 19 avril.

Ainsi que je l'ai dit, les 17, 18 et 19 avril restent comme amalgamés dans ma mémoire sans qu'un incident particulier puisse s'en détacher. Mais le 20 avril fut tout à fait différent.

Ce jour-là, je décollai quatre fois, mais c'est la première de ces sorties que je n'oublierai jamais. Elle a laissé comme un rideau de feu dans mon souvenir.

Ce jour-là, un homme derrière un bureau à Athènes ou au Caire décida que, pour une fois, notre flottille de Hurricane au complet, douze appareils, devait décoller ensemble. Les habitants d'Athènes, semblait-il, devenaient nerveux et l'on estimait que l'apparition de notre groupe volant au-dessus de leurs têtes galvaniserait leur moral. Eussé-je habité Athènes à l'époque, avec une armée allemande de plus de cent mille hommes marchant rapidement vers la ville, sans parler d'une Luftwaffe forte de mille appareils, j'aurais été extrêmement nerveux moi-même, et la vue de douze malheureux avions isolés tournant au-dessus de ma tête n'aurait guère contribué à me réconforter.

Cependant, le 20 avril, par une lumineuse matinée de printemps, à dix heures, nous décollions tous les douze, l'un après l'autre, et, en formation serrée, quittions le terrain d'Éleusis pour nous diriger vers Athènes qui n'était guère qu'à quatre minutes de vol.

Jamais je n'avais encore piloté un Hurricane en formation. Même à l'entraînement, je n'avais pratiqué le vol de groupe qu'une seule fois sur le petit Tiger Moth. Ce n'est pas un exercice particulièrement difficile si l'on a un minimum d'expérience mais, si l'on est complètement novice et que l'on est contraint de se maintenir à deux ou trois mètres du saumon d'aile de son voisin, cela devient un exploit. On conserve sa position en jouant constamment sur la manette des gaz et en actionnant avec les plus grandes précautions le gouvernail et le manche à balai. Cela va encore quand tout le monde vole droit et de niveau mais, quand la formation entière effectue un virage serré, pour un pilote néophyte dans mon genre, cela devient très périlleux.

Nous tournions autour d'Athènes sans relâche et j'étais si attentif à ne pas accrocher du bout de mon aile celle de mon voisin que je n'étais guère d'humeur

191

à admirer le Parthénon et tous les autres vestiges illustres au-dessous de moi. Notre formation était menée par le capitaine Pat Pattle. Pat Pattle était un héros de légende dans la RAF. Il l'était en tout cas en Égypte, dans le désert de Libye et au-dessus des montagnes de Grèce. Il était de loin le numéro un parmi tous les chasseurs du Moyen-Orient avec un nombre impressionnant de victoires à son palmarès. On disait même qu'il avait descendu plus d'avions que les as les plus célèbres de l'illustre et glorieuse bataille d'Angleterre et c'était sans doute vrai. Je ne lui avais jamais parlé personnellement et je suis sûr qu'il ne savait pas du tout qui j'étais. En fait, je n'étais personne. Rien qu'un nouveau visage dans une escadrille dont les pilotes ne se prêtaient guère attention entre eux. Mais j'avais observé le fameux capitaine Pattle dans la tente du mess à plusieurs reprises. C'était un homme de très petite taille, à la voix très douce, et son visage profondément buriné et mélancolique était un peu celui d'un chat qui sait qu'il a déjà épuisé les neuf vies dont il disposait.

Ce matin du 20 avril, le capitaine Pattle, l'as des as qui menait notre formation de douze Hurricane au-dessus d'Athènes, nous croyait de toute évidence capables des mêmes performances que lui en vol et il nous faisait mener un train d'enfer au-dessus de la ville. Nous volions à environ neuf mille pieds et faisions de notre mieux pour montrer aux Athéniens comme nous étions puissants, courageux et bruyants quand, soudain dans le ciel, il y eut comme une explosion de chasseurs allemands. Ils nous fonçaient dessus de très haut, non seulement des 109, mais aussi des bimoteurs 110. D'après les observateurs au sol, ils étaient au moins deux cents à nous attaquer ce matin-là. Nous rompîmes la formation et ce fut dès lors chacun pour soi. Ce qui est resté dans les annales comme la bataille d'Athènes commençait.

Il me semble impossible de donner une description précise de ce qui se passa durant la demi-heure suivante. Aucun pilote de chasse, à ma connaissance, n'a jamais été capable d'évoquer ce que peut être une bataille aérienne prolongée. Vous vous trouvez dans un minuscule cockpit dont tous les éléments sont faits d'aluminium riveté. Vous avez une verrière de plexiglas au-dessus de la tête et, devant vous, un pare-brise incliné à l'épreuve des balles. Vous tenez de la main droite le manche à balai avec le pouce droit posé sur le bouton de tir en laiton au sommet du manche. De la main gauche, vous actionnez la manette des gaz et vos deux pieds reposent sur le palonnier. Votre corps est assujetti par des bretelles et une ceinture au parachute sur lequel vous êtes assis. Une seconde paire de sangles d'épaules et une ceinture vous maintiennent de façon rigide au cockpit. Vous pouvez tourner la tête et remuer les bras et les jambes, mais le reste du corps est à ce point bridé dans le cockpit que vous ne pouvez pas bouger. Entre votre visage et le pare-brise, le cercle orangé du viseur brille d'un vif éclat.

Certains ne se rendent pas compte que si le Hurricane est armé de huit mitrailleuses dans les ailes, leurs tubes sont immobiles. Ce n'est pas avec elles que vous visez la cible, mais avec l'avion. Les mitrailleuses ont été vérifiées avec soin, essayées au sol et réglées de telle sorte que tous les projectiles convergent en un point situé à cent cinquante mètres à l'avant. Ainsi, avec le viseur, vous prenez l'ennemi dans votre ligne de mire et pressez le bouton. Viser avec précision selon cette méthode requiert une solide expérience du pilotage, surtout si vous virez serré et volez très vite au moment de déclencher le tir.

Au-dessus d'Athènes ce matin-là, je me souviens d'avoir vu les appareils de notre maigre formation se disperser en éventail et disparaître dans l'avalanche d'avions ennemis et, à partir de cet instant, de quelque côté que je me tournasse, je ne voyais plus que des rubans confus et sans fin de chasseurs ennemis fonçant vers moi dans tous les azimuts. Ils plongeaient du dessus, arrivaient par-derrière, se lançaient dans des attaques frontales. Je manœuvrais de mon mieux avec mon Hurricane et chaque fois qu'un avion ennemi apparaissait dans mon viseur, je pressais le bouton. Je passai là à coup sûr les moments les plus haletants et, en un sens, les plus exaltants que j'ai connus de ma vie. J'entrevoyais fugitivement des appareils dont les moteurs dégageaient des panaches de fumée noire. J'en apercevais d'autres avec des fragments de métal se détachant de leur fuselage. Je voyais les flammes orange crachées par les canons des Messerschmitt et, durant une seconde, je vis un homme dont le Hurricane était en feu se hisser calmement sur une aile et sauter dans le vide. Je continuai à tournoyer dans le carrousel jusqu'à épuisement de mes munitions. J'avais beaucoup tiré. Quant à savoir si j'avais abattu ou simplement touché un ennemi, je n'en avais aucune idée. Je n'avais pas osé ralentir le rythme, fût-ce une fraction de seconde, pour observer les résultats de mes tirs. Le ciel fourmillait à ce point d'avions que je passai bien la moitié du temps à éviter des collisions. Je suis persuadé que les appareils allemands durent bien souvent se gêner dans leurs évolutions tant ils étaient nombreux et cet encombrement, joint au fait que nous étions si clairsemés, sauva certainement la vie de plusieurs d'entre nous.

Lorsque je dus enfin rompre le combat pour piquer vers le terrain, je savais que mon Hurricane avait été touché. Les commandes étaient molles et le gouvernail ne répondait plus, mais il est possible de faire virer un avion en utilisant les seuls ailerons et c'est ainsi que je réussis à ramener mon appareil au sol. Dieu merci, le train d'atterrissage consentit à sortir lorsque j'actionnai la manette et je me posai plus ou moins de guingois à Éleusis. Je manœuvrai pour ranger l'avion, coupai le contact et ouvris la verrière coulissante. Je restai là assis dans le fuselage à prendre de profondes inspirations. J'étais littéralement submergé par la pensée d'avoir plongé au cœur même de la fournaise et d'avoir réussi à m'en arracher. Tout autour de moi, le soleil brillait, les fleurs sauvages émaillaient l'herbe du terrain et je m'émerveillai de la chance que j'avais de revoir le solide plancher des vaches. Deux mécanos, un régleur et un ajusteur vinrent au pas de course vers ma machine. Je les observai tandis qu'ils en faisaient lentement le tour. Puis l'un d'eux, un homme entre deux âges au crâne dégarni, leva les yeux vers moi et déclara :

— Ben, mon colon, vot' tacot, qu'est-ce qu'il a pris comme coups de seringue… Ils vous l'ont mis en dentelle !

Je défis mes sangles et me dressai dans le cockpit.

— Rafistolez-le le mieux possible, dis-je. J'en aurai besoin d'ici peu.

Je me souviens d'avoir gagné la petite cabane de la salle d'ops pour signaler mon retour et, tandis que je traversais à pas lents le terrain, je me rendis brusquement compte que mon corps entier et mes vêtements étaient trempés de sueur. Il faisait chaud en Grèce à cette époque de l'année et nous portions simplement un short, une chemise et des bas kaki même en vol. Mais, maintenant, short, chemise et bas avaient changé de couleur et étaient presque noirs tant ils étaient imbibés de transpiration. J'ôtai mon casque, mes cheveux étaient dans le même état. Jamais de ma vie, je n'avais transpiré à ce point, même après un match de squash ou de rugby. La sueur me dégoulinait de partout et gouttait sur le sol. À la porte de la salle d'ops se tenaient trois ou quatre autres pilotes et je remarquai qu'ils étaient tout aussi inondés de transpiration que moi. Je glissai une cigarette entre mes lèvres et frottai une allumette. Ma main tremblait tellement que je ne parvenais pas à approcher la flamme du bout de ma cigarette. Le toubib, qui se tenait tout près, vint vers moi et l'alluma pour moi. Je considérai de nouveau mes mains. Elles tremblaient de façon ridicule. C'était embarrassant. Je regardai les autres pilotes. Tous tenaient des cigarettes et leurs mains tremblaient autant que les miennes, mais je me sentais très en forme. J'étais resté là-haut une demi-heure et ils ne m'avaient pas eu.

Sur nos douze Hurricane, l'ennemi en avait abattu cinq. L'un de nos pilotes avait sauté en parachute et avait été récupéré, quatre avaient été tués. Parmi les morts se trouvait le grand Pat Pattle dont l'extraordinaire bonne étoile avait fini par s'éteindre. Et le capitaine Timber Woods, le second de nos pilotes les plus expérimentés, n'était pas revenu non plus. Les observateurs grecs au sol aussi bien que les nôtres de la base aérienne avaient vu les cinq Hurricane tomber en feu, mais ils avaient aussi vu vingt-deux Messerschmitt abattus au cours de cette bataille, encore qu'aucun de nous ne sut jamais qui avait atteint ou non tel ou tel adversaire.

Il nous restait donc maintenant en Grèce sept Hurricane plus ou moins en état de voler, et nous étions censés avec cette poignée d'avions assurer la couverture aérienne du corps expéditionnaire britannique au complet, qui était sur le point d'évacuer le pays par mer. Toute l'opération m'apparaissait comme une sinistre farce.

Je me dirigeai vers ma tente. Il y avait une cuvette de toile au-dehors, un récipient pliant tenant sur trois pieds de bois, sur lequel David Coke était penché, en train de s'asperger le visage. Il était nu, à l'exception d'une étroite serviette nouée autour de la taille. Il avait la peau très blanche.

– Alors, tu en es sorti, dit-il sans relever la tête.

– Toi aussi.

– Un vrai miracle, dit-il. Je tremble comme une feuille… Et maintenant, qu'est-ce qui va se passer ?

– Je crois qu'on va y laisser notre peau.

– Moi aussi, dit-il. Tiens, si tu veux la cuvette… J'avais gardé un peu d'eau dans le broc au cas où tu reviendrais.

Éleusis

L'avant-dernier jour

Mais la journée du 20 avril n'était pas terminée. Je me tenais presque nu près de la cuvette devant la tente avec David Coke, essayant de laver nos chemises poisseuses de la sueur du combat quand, *boum, bang, vroum, flac, rat-tat-tat-tat*, un terrible vacarme explosa au-dessus de nous, accompagné du crépitement des mitrailleuses et du rugissement des moteurs. David et moi fîmes un bond et vîmes dans le ciel une longue procession de Messerschmitt 109 qui nous fonçaient dessus à très basse altitude, tirant de toutes leurs armes. Nous nous jetâmes à plat dans l'herbe, nous attendant au pire.

Je n'avais jamais été mitraillé au sol et je peux vous dire que ce n'est pas une expérience agréable, surtout lorsque vous êtes surpris à découvert et déculotté. Vous restez là à regarder les balles s'enfoncer dans l'herbe en arrachant des mottes de terre tout autour de vous et, à moins qu'il ne se trouve à proximité un fossé profond, vous ne pouvez rien faire pour vous mettre à l'abri. Les 109 nous arrivaient dessus par-derrière, l'un après l'autre, rasant les tentes et, au passage assourdissant de chacun, je sentais le remous de l'air brassé sur mon dos nu. Je me souviens d'avoir tourné la tête de côté pour les regarder et je voyais clairement les pilotes assis très droits dans leurs cockpits avec leurs casques noirs, leurs masques à oxygène kaki sur le visage. L'un d'entre eux avait autour du cou une écharpe jaune vif enfoncée dans sa chemise ouverte. Ils ne portaient pas de lunettes, et, une ou deux fois, j'eus la vision fugitive d'yeux qui brillaient, de regards concentrés et rivés devant eux.

— Cette fois, on y a droit ! cria David. Ils vont bousiller tous nos avions !

— Les avions, je m'en fous ! hurlai-je en réponse. Et nous ?

— C'est aux Hurricane qu'ils en veulent. Ils vont les démolir un par un. Tu n'as qu'à regarder.

Les Allemands savaient que les quelques appareils qui nous restaient en Grèce venaient de se poser après une longue bataille et se ravitaillaient en essence, le moment classique pour effectuer un raid au sol. Mais ce qu'ils ignoraient, c'était que nos défenses anti-aériennes se bornaient à un unique canon Bofors planqué quelque part au milieu des rochers derrière nos tentes. La plupart des terrains d'aviation modernes de l'époque étaient formidablement protégés contre les attaques à basse altitude et, pour cette raison, les pilotes n'appréciaient guère ce genre de mission de mitraillage. J'en effectuai moi-même plusieurs par la suite et n'en garde pas un bon souvenir. L'on vole tellement vite et tellement bas que, si jamais l'on est touché, l'on a très peu de chances d'en sortir vivant. Les Allemands ne pouvaient pas savoir que nous ne possédions qu'un misérable canon pom-pom pour protéger tout l'aérodrome. Ils se contentaient donc d'effectuer une passe rapide au-dessus du terrain, puis de filer vers leur base.

Ils avaient disparu aussi vite qu'ils étaient venus et, après le fracas de leurs moteurs, le silence qui s'établit sur notre terrain avait quelque chose d'impressionnant. Je me demandai un instant si, par hasard, tout le monde avait été tué à l'exception de David et de moi. Nous nous levâmes et regardâmes autour de nous. Alors plusieurs voix s'élevèrent pour réclamer des brancards et, près de la salle d'ops, je vis un homme aux vêtements tachés de sang que l'on aidait à marcher vers la tente du toubib. Mais la grande surprise de cette journée fut que notre unique Bofors avait réussi à toucher l'un des Messerschmitt. Vers le bout du terrain, à une dizaine de mètres du sol, son moteur crachant des torrents de fumée noire et des flammes orange, il glissait sans bruit dans une tentative d'atterrissage. David et moi le regardâmes, immobiles, tandis qu'il amorçait un virage serré avant de se poser.

– Ce pauvre type va être rôti vivant s'il ne se dépêche pas, dit David.

L'avion heurta le sol sur le ventre avec un bruit terrible de métal déchiré et glissa sur une trentaine de mètres avant de s'arrêter. Je vis plusieurs des nôtres se précipiter pour secourir le pilote. L'un d'eux tenait un extincteur rouge à la main puis ils disparurent, masqués par le nuage de fumée, tandis qu'ils essayaient d'extraire le pilote de son cockpit. Quand ils furent de nouveau visibles, nous les aperçûmes qui traînaient l'Allemand sous les bras pour l'éloigner du foyer, puis une camionnette arriva et le blessé fut déposé à l'arrière.

Et nos avions ? Nous les distinguions au loin, dispersés autour du périmètre du terrain, et aucun ne brûlait.

– Ils étaient tellement pressés qu'ils ont dû tous les manquer, dit David.

– Oui, je crois bien, approuvai-je.

Là-dessus l'officier de service surgit, courant entre les tentes et criant :

– Tous les pilotes à leurs appareils ! Tous les appareils en l'air ! Allons, vite, grouillez-vous !

Il passa devant nous au galop et nous cria :

– Allez, vous deux, habillez-vous en vitesse et décollez immédiatement.

Il était courant qu'une deuxième vague d'assaut attaque le terrain tout de suite après la première et notre commandant de base tenait avec raison à ce que nous ayons pris l'air avant son arrivée. David et moi passâmes rapidement chemise, short et chaussures et nous précipitâmes vers nos avions. Tout en courant, je me demandai si mon Hurricane serait seulement capable de s'élever au-dessus du sol après le dernier engagement. Il s'était écoulé moins d'une heure depuis que j'avais atterri. Quand je parvins auprès de l'appareil, trois mécanos s'affairaient autour du fuselage, y compris notre sergent mécanicien de piste.

– Vous avez réparé le gouvernail ? lui criai-je.

—On a posé une nouvelle commande, répondit le sergent. Elle avait été coupée net.

—Le plein d'essence et de munitions est fait ?

—Il est fin prêt, répondit le sergent.

Je fis un bref examen de l'appareil. En un temps aussi court, ils avaient accompli un travail remarquable. Les trous faits par les balles avaient été bouchés, les bouts de métal déchiquetés aplatis et il y avait des petits bouts de toile adhésive rouge au-dessus des huit goulottes de tir sur les bords des ailes, indiquant que les mitrailleuses avaient été vérifiées et réarmées. Je me hissai dans le cockpit et le sergent grimpa sur l'aile pour m'aider à me sangler.

—Va falloir faire gaffe là-haut, dit-il. Ils grouillent dans le ciel comme des moustiques.

Éleusis, Messerschmitt 109 abattu

– Faites gaffe vous-même, répondis-je. J'aimerais mieux être en l'air qu'au sol la prochaine fois qu'ils vont rappliquer.

Il me donna une tape amicale sur le dos puis referma la verrière au-dessus de ma tête.

Il était stupéfiant que nos attaquants n'eussent pas touché un seul de nos Hurricane au sol et nous décollâmes tous les sept sans problème et volâmes en rond au-dessus du terrain pendant une heure. Nous espérions maintenant qu'ils allaient revenir et que nous leur piquerions dessus et leur réglerions leur compte sans bavure. Ils ne réapparurent pas et une fois de plus nous nous posâmes.

Mais le 20 avril n'était pas encore terminé.

Je repris l'air deux fois durant l'après-midi pour aller affronter les nuées de Ju 88 qui bombardaient les bateaux dans le port du Pirée et, quand le soir vint enfin, j'étais un jeune pilote écrasé de fatigue.

Ce soir-là, on nous dit (et par ce « nous », j'entends les sept derniers pilotes de l'escadrille) que, dès l'aube, le lendemain matin, nous devrions décoller pour nous rendre à un petit terrain très secret situé à environ cinquante kilomètres sur la côte. Il était clair que si nous restions un jour de plus à Éleusis, nous serions balayés, les avions et le reste. Nous nous réunîmes autour d'une table dans la tente du mess et, à la lueur d'une lampe à pétrole, quelqu'un – je crois que c'était l'adjoint, officier de détail de l'escadrille – essaya de nous montrer où était situé ce terrain secret.

– C'est tout près de la mer, dit-il, à côté d'un petit

village nommé Mégare. Vous ne pouvez pas le rater. C'est la seule langue de terrain plate de tout le secteur.

— Et nous allons opérer à partir de là ? demanda quelqu'un.

— Dieu seul le sait, répondit l'adjoint.

— Mais qu'est-ce qu'on fait après avoir atterri ? lui demandâmes-nous. Il n'y aura personne sur place à part nous ?

— Contentez-vous de vous tirer d'ici à l'aube demain et d'aller là-bas, dit le malheureux.

— Mais à quoi cela sert-il ? insista un autre. Pour l'instant, nous avons encore sept Hurricane à peu près en état et, si nous nous cramponnons avec à ce foutu pays, ils seront certainement détruits au sol ou abattus en l'air dans les quarante-huit heures. Alors pourquoi ne pas partir pour la Crète demain matin et les réserver pour de meilleures occasions ? Il faut une heure et demie pour aller là-bas. Et, de Crète, on peut voler jusqu'en Égypte. Je veux bien parier que, dans le désert, ils ne seraient pas fâchés d'avoir sept Hurricane de plus.

— Faites ce qu'on vous dit, reprit l'officier adjoint. Nous avons pour mission de conserver ces sept appareils en état de voler pour pouvoir couvrir les troupes qui vont être évacuées par la Marine.

— Avec sept taxis ! s'écria un jeune pilote. Et à partir d'un terrain sans mécanos et sans réserves de carburant ? Ça ne tient pas debout !

L'officier adjoint regarda le jeune pilote et répondit simplement :

– L'idée n'est pas de moi. Je me contente de transmettre les ordres.

– Il y aura quelqu'un à Mégare quand nous arriverons demain matin ?

– Je ne crois pas, répondit l'officier adjoint.

– Alors qu'est-ce qu'on fera une fois posés ? On attendra assis dans l'herbe ?

– Écoutez, dit l'adjoint démoralisé, si j'en savais plus, je vous le dirais.

Âgé d'environ quarante ans, volontaire, trop vieux pour voler, il était avant la guerre négociant en machines agricoles.

C'était un brave homme, mais qui nageait autant que nous en plein brouillard.

– Ils vont revenir ici et foutre en l'air complètement cette base, continua-t-il. Tous, y compris les rampants, nous partons ce soir. Quand vous vous lèverez demain matin, la base sera vide. Alors débrouillez-vous pour décoller dès que les premières lueurs du jour le permettront. Et, surtout, n'attendez pas.

– Où allez-vous tous ? s'enquit un des nôtres. Vous ralliez aussi notre petit terrain secret ?

– Non, répondit-il, nous allons plus loin le long de la côte, mais où, je n'en ai aucune idée moi-même.

– Sur un autre terrain secret ?

– Oui, je crois.

– Alors pourquoi est-ce qu'on ne vole pas directement là-bas demain ? demanda un pilote. À quoi ça rime d'aller se poser sur cette piste déserte de Mégare ?

– *Je n'en sais rien !* répondit l'adjoint, excédé.

– Où est le commandant ? demanda une voix.

– *En voilà assez !* cria l'adjoint. Allez tous vous coucher et tâchez de roupiller un peu.

L'un de nous possédait un réveil et le lendemain matin il nous réveilla tous à 4 h 30. Quand je sortis de notre tente, le terrain d'Éleusis s'étendait, silencieux et désert, dans la lumière blafarde du petit jour. Toutes les tentes, à l'exception de celles des pilotes, avaient été démontées et emportées. Seul le vieux hangar de tôle ondulée, la cabane de la salle d'ops et quelques autres bicoques de bois restaient debout. Nous nous réunîmes tous les sept, nous frictionnant les mains dans l'air froid du matin.

– Il n'y a rien de chaud à boire ? demanda quelqu'un.

Il n'y avait rien.

– On ferait bien de se tirer, dit David Coke.

Il était environ cinq heures lorsque nous traversâmes le terrain vide pour rejoindre nos appareils. Je crois que chacun de nous se sentait très seul à ce moment-là. Un avion a toujours été vérifié quand vous vous préparez à prendre l'air. De même, il y a toujours un mécano pour ôter les cales une fois le moteur lancé. Et, si le moteur ne part pas et que les batteries sont déchargées, un homme arrive avec le banc électrique roulant et le branche pour donner un coup de fouet aux accus. Mais il n'y avait personne dans les parages. Pas une âme. La couronne du soleil émergeait tout juste des crêtes de la montagne située derrière Athènes et des étincelles de soleil scintillaient dans l'herbe chargée de rosée.

Mon Hurricane à Mégare

Je grimpai dans mon Hurricane et ajustai toutes les sangles. Je mis le contact, tournai la manette de mélange sur « riche » et pressai le démarreur. L'hélice se mit à tourner avec lenteur, puis le gros moteur Merlin toussa deux fois et se mit à ronfler. Je cherchai du regard mes six compagnons. Ils avaient tous réussi à démarrer et roulaient vers la piste d'envol.

Nous nous rassemblâmes tous les sept à mille pieds au-dessus du terrain, puis mîmes le cap sur la côte à la recherche de notre terrain secret. Bientôt, après avoir décrit deux ou trois cercles au-dessus du village de Mégare, nous vîmes un long champ verdoyant en lisière des maisons ; à bord d'un vieux rouleau compresseur à vapeur, un homme s'efforçait de niveler une

208

piste de fortune en travers du champ. À notre passage, il leva la tête et conduisit son engin sur le côté. Après nous être posés sur un sol bosselé, nous roulâmes vers un bosquet d'oliviers pour nous mettre à couvert. C'était un camouflage des plus médiocres et nous brisâmes des branches d'olivier dans l'espoir de nous rendre moins visibles d'en haut. De toute façon, j'étais persuadé que le premier Allemand à survoler le terrain nous repérerait instantanément et, ensuite, nous serions faits comme des rats.

Il était 5 h 15 du matin. Il n'y avait personne en vue, le conducteur du rouleau compresseur mis à part. Nous nous demandâmes quelles seraient nos prochaines consignes. Si nos avions devaient être mitraillés au sol, plus nous nous en tiendrions à l'écart, mieux cela vaudrait. Une crête rocheuse d'une cinquantaine de mètres de haut se dressait entre nous et la mer, et nous décidâmes d'aller y prendre position. Nous n'y serions pas plus mal qu'ailleurs. Une fois au sommet, nous nous assîmes parmi les gros blocs de rocher blanc et poli et allumâmes des cigarettes. À nos pieds et sur le côté, nos sept Hurricane n'étaient que trop visibles en bordure de l'oliveraie. De l'autre côté s'étendaient les eaux bleues du golfe d'Athènes, et j'aurais pu jeter une pierre dans la mer tant le rivage était proche.

Un grand pétrolier était au mouillage à cinq cents mètres environ de la côte.

– Je ne voudrais pas être à bord de ce rafiot, dit l'un de nous.

Un autre enchaîna :

– Pourquoi il ne se barre pas en vitesse, ce pauvre corniaud ? Il n'a pas entendu parler des Chleuhs ?

En un sens, il était très agréable de se tenir sur ce promontoire rocheux par cette radieuse matinée d'avril grecque. Nous étions jeunes et ignorions la peur. La pensée d'être sept avec sept avions sur une piste improvisée, alors qu'à soixante-quinze kilomètres au nord environ la moitié des forces aériennes allemandes était prête à nous anéantir, nous laissait impavides. De notre belvédère, la vue était superbe sur la baie d'Athènes, la mer aux reflets turquoise et ce pétrolier absurde à l'ancre devant nous.

Vint l'heure du petit déjeuner, mais il n'y avait pas de petit déjeuner. Puis nous entendîmes un ronflement de moteurs et un groupe d'une trentaine de 109 passa en rugissant au-dessus du village de Mégare à cinq ou six cents mètres de nous. Quelques minutes plus tard, une meute de bombardiers Stuka nous survola en piqué à environ trois mille pieds, se dirigeant vers le pétrolier. Au-dessus tournoyaient, comme un nuage de sauterelles, des chasseurs de protection.

– Couchez-vous ! cria quelqu'un. Cachons-nous sous les rochers ! Il ne faut pas qu'ils nous voient !

Mais, à coup sûr, me dis-je, ils allaient repérer sous les oliviers nos appareils si mal dissimulés.

Les Stuka se rapprochaient en ligne et, lorsque le premier se trouva juste à l'aplomb du pétrolier, il bascula en avant et piqua à la verticale dans un rugissement aigu de moteur. Accroupis parmi les rochers, nous le suivions des yeux. Il allait de plus en plus vite et de son moteur au régime accéléré montait un hurlement de plus en plus strident. J'eus un instant l'impression que le pilote allait s'engouffrer dans la cheminée du navire quand il fit sa ressource à la dernière fraction de seconde tandis que la bombe se détachait de son ventre. C'était une lourde masse de métal noir qui me fit l'effet de tomber avec lenteur sur la plage avant du pétrolier. Le Stuka était déjà loin, volant au ras de la mer lorsque la bombe explosa et, avec la déflagration accompagnée d'un éclair aveuglant, le bateau parut se soulever de bout en bout de plusieurs mètres au-dessus de l'eau, mais déjà un deuxième Stuka lui piquait dessus, suivi d'un troisième, d'un quatrième et d'un cinquième.

Seuls cinq Stuka attaquèrent le bateau en piqué. Les autres appareils restés en altitude observaient le pétrolier qui était déjà la proie des flammes. Nous nous trouvions tout près, à cinq cents mètres tout au plus, et, lorsque les réservoirs explosèrent, le pétrole se répandit à la surface de la mer qu'il transforma en lac de feu. Nous vîmes une demi-douzaine de marins se hisser par-dessus le bastingage et sauter à l'eau et nous entendîmes leurs cris tandis qu'ils étaient brûlés vifs dans les flammes.

Très haut au-dessus de nous, les Stuka qui n'avaient pas participé à l'attaque firent demi-tour et repartirent vers leur base, suivis par leur escorte de chasseurs. Bientôt, ils furent tous hors de vue et on n'entendit plus que les sifflements de l'eau au contact du pétrole enflammé le long des flancs du bateau touché à mort.

Nous avions déjà assisté à bien des bombardements, mais jamais nous n'avions vu des hommes sauter dans la mer en feu et y être carbonisés. Ce terrible spectacle nous laissa tous en état de choc.

– Apparemment, les gens sont tous idiots dans le coin, dit l'un de nous. Pourquoi les Grecs n'ont-ils pas dit au capitaine de ce pétrolier de foutre le camp ?

– Et nous, pourquoi est-ce qu'on ne nous dit pas ce que nous devons faire ? demanda un autre.

– Parce qu'ils ne savent rien, intervint un troisième.

– Sérieusement, dis-je, pourquoi ne décolle-t-on pas tout de suite pour aller en Crète ? Le plein est fait sur nos taxis.

– Voilà une idée formidable, approuva David Coke. Ensuite on refait le plein et on vole jusqu'en Égypte. Ils n'ont presque pas de Hurricane dans le désert. Nos sept avions vaudraient leur pesant d'or là-bas.

– Vous savez ce que je pense ? remarqua un jeune pilote nommé Dowding. À mon avis, quelqu'un veut qu'on puisse dire que la valeureuse RAF s'est battue en Grèce jusqu'au dernier pilote et au dernier avion.

Sans doute Dowding avait-il raison. Il tenait la bonne explication ou alors nos supérieurs étaient tellement bouchés et incompétents qu'ils ne savaient tout simplement pas quoi faire de nous. Et je repensai à ce que m'avait dit le caporal une semaine plus tôt seulement quand j'avais atterri pour la première fois en Grèce. « Un taxi tout neuf, comme ça, avait-il dit, une machine qu'il a fallu des milliers d'heures pour assembler. Et, maintenant, ces connards derrière leurs bureaux du Caire l'envoient ici où elle ne va pas durer deux minutes ! » Elle avait duré un peu plus, mais il me semblait bien qu'elle n'en avait plus pour longtemps.

Assis au milieu des rochers devant la mer, nous regardions de temps à autre le pétrolier en train de brûler. Personne n'en était sorti vivant, mais autour flottait un certain nombre de cadavres. Le courant ou la marée ramenait lentement les corps vers le rivage et, toutes les demi-heures environ, je regardais par-dessus mon épaule pour voir à quelle distance ils se trouvaient. Il y en avait neuf qui, à onze heures, ne se trouvaient plus qu'à cinquante mètres des rochers en dessous de nous.

Vers le milieu de la journée, une grande voiture noire apparut, roulant au pas sur notre terrain. Ce fut le branle-bas général. La voiture avançait le long de la piste comme à la recherche de quelque chose, puis elle fit demi-tour et se dirigea vers les oliviers où étaient garés nos appareils. Nous distinguions le chauffeur au volant et une silhouette imprécise dans l'ombre sur la banquette arrière, mais il était impossible de voir qui ils étaient et quelle tenue ils portaient.

– Ça pourrait être des Allemands avec des mitraillettes, dit l'un d'entre nous.

Nous ne possédions aucune arme sur nous, pas même un revolver.

– Quelle est le marque de la voiture ? demanda David.

Nous étions incapables de la reconnaître. Quelqu'un pensa que c'était peut-être une Mercedes-Benz. Tous les yeux surveillaient la grosse voiture noire.

Parvenue aux premiers oliviers, elle s'arrêta. Assis en groupe compact sur notre croupe rocheuse, nous observions la scène avec anxiété. La portière arrière s'ouvrit et il en sortit l'impressionnante silhouette d'un homme en uniforme de la RAF. Nous étions assez près pour le distinguer clairement. Grand et massif, il arborait une moustache orange pâle.

– Bon Dieu, mais c'est le général ! s'exclama Dowding.

Il ne se trompait pas. Ce haut personnage dont le quartier général était à Athènes avait été et d'ailleurs restait toujours le commandant en chef de la RAF en Grèce. Quelques semaines plus tôt, il avait assumé le commandement de trois escadrilles de chasseurs et de plusieurs escadrilles de bombardiers, mais nous représentions maintenant tout ce qui lui restait. Comment avait-il réussi à découvrir où nous étions ?

– Où êtes-vous tous, sacrebleu ? cria le général.

– Nous sommes là-haut, mon général, répondîmes-nous.

Il leva les yeux et nous vit.

– Descendez immédiatement ! cria-t-il.

Nous dévalâmes la pente pour nous grouper devant lui. Planté près de sa voiture, il promena lentement sur nous un regard bleu pâle perçant. Puis il se pencha pour prendre dans la voiture un paquet assez épais enveloppé de papier blanc et portant un cachet de cire rouge.

Ce paquet avait à peu près les dimensions d'une Bible, mais il était souple et se pliait légèrement entre ses doigts.

– Ce colis, déclara-t-il, doit être porté à Éleusis sur-le-champ. Il ne doit pas être perdu ni tomber dans les mains ennemies. Je veux un volontaire pour l'emporter en avion tout de suite.

Personne ne bondit en avant, mais ce n'était pas parce que nous craignions de retourner à Éleusis. Aucun de nous n'avait peur de quoi que ce soit. Nous en avions simplement assez d'être manipulés comme des pantins.

Finalement, je dis :

– Je vais y aller.

Je suis un volontaire irrépressible. Je dirais oui à n'importe quoi.

– C'est bien, dit le général. Quand vous atterrirez, il y aura un homme pour vous attendre. Il s'appelle Carter. Demandez-lui son nom avant de lui remettre le paquet. C'est bien compris ?

Une voix intervint.

– Ils viennent de refaire un raid sur Éleusis, mon général. Nous les avons vus passer. Des 109. En pagaille.

– Je sais ! aboya le général. Ça ne change rien. Alors, vous, dit-il en me fixant de ses yeux pâles, vous remettez ce paquet à Carter, je compte sur vous, hein ?

– Oui, mon général, dis-je.

– Carter sera seul là-bas, reprit le général. En admettant que les Allemands n'y soient pas déjà arrivés, bien entendu. Si vous voyez des avions ennemis sur le terrain, surtout ne vous posez pas. Repartez tout de suite.

– Oui, mon général, dis-je. Et où dois-je aller ?

– Revenez ici directement. Comment vous appelez-vous ?

– Sous-lieutenant Dahl, mon général.

– Très bien, Dahl, dit-il, soupesant le paquet entre ses deux mains. Cela ne doit en aucun cas tomber entre les mains de l'ennemi. Même au prix de votre vie. Suis-je clair ?

– Oui, mon général, répondis-je avec un sentiment d'importance.

– Volez très bas durant tout le trajet, reprit le général. Ils ne vous repéreront pas. Posez-vous très vite, trouvez Carter, donnez-lui ça et filez.

Il me tendit le paquet. Je mourais d'envie de savoir ce qu'il contenait, mais je n'osais pas lui poser la question.

– Si vous êtes abattu en route, arrangez-vous pour le brûler, dit le général. Vous avez des allumettes, j'espère ?

Je le regardai fixement. Si tel était le genre de génie qui avait dirigé nos opérations, il ne fallait pas s'étonner de notre déconfiture.

– Le brûler, dis-je. Très bien, mon général.

Ce bon vieux David Coke intervint :

– S'il est abattu, mon général, je pense que le paquet brûlera avec lui.

– Très juste, dit le général. Alors, n'est-ce pas, quand vous arrivez là-bas, ne vous posez pas. Faites le tour du terrain d'abord.

Il se tourna vers les autres et poursuivit :

– Vous, vous allez attendre dans vos cockpits et dès que vous l'aurez vu revenir, vous prenez la piste et vous décollez. Vous, ajouta-t-il en me désignant, vous les rejoindrez et vous partirez tous pour Argos.

216

– Où est-ce, mon général ?

– À quatre-vingts kilomètres plus loin sur la côte, dit celui-ci. Vous verrez sur vos cartes.

– Et une fois à Argos, mon général ?

– À Argos, répondit-il, tout a été organisé pour vous recevoir. Tout votre personnel au sol y est déjà. Ainsi que votre commandant d'escadrille.

– Il y a un terrain, à Argos, mon général ? demanda quelqu'un.

– Il y a une piste d'atterrissage, dit le général. Elle est à quinze cents mètres environ de la mer et nos bateaux attendent au large pour embarquer les troupes. Vous devrez assurer la couverture aérienne de ces bateaux.

– Nous ne sommes que sept, mon général, remarqua l'un de nous.

– Vous accomplirez une mission vitale, annonça le général, la moustache en bataille. Vous serez responsables de la protection de la moitié de la flotte de la Méditerranée.

« Dieu leur vienne en aide », songeai-je.

Le général tendit encore une fois le doigt vers moi.

– Vous, dit-il. Grouillez-vous ! Remettez ce paquet et revenez ici aussi vite que possible !

– Oui, mon général, dis-je.

Je me dirigeai vers mon Hurricane, grimpai dedans et me sanglai, puis je posai le mystérieux paquet en travers de mes genoux. Sur le sol du cockpit sous mes jambes était posé le sac en papier contenant mes affaires et mon carnet de vol. Mon appareil photo, je m'en souviens très bien, était pendu à mon cou par la lanière. Je roulai jusqu'à la piste et décollai. Volant très bas et très vite, j'atteignis le terrain d'Éleusis en huit minutes.

Je décrivis un cercle autour de la base, à la recherche d'Allemands ou de leurs avions. L'endroit paraissait totalement désert. Je jetai un coup d'œil à la manche à air et manœuvrai pour me poser contre le vent.

Comme mon avion était sur le point de s'arrêter, j'entendis dans le lointain le hurlement des sirènes d'alerte. Je sautai à bas de l'appareil avec mon précieux paquet et m'accroupis dans le fossé qui entourait le terrain. Une vague de bombardiers en piqué Stuka passa avec son escorte de chasseurs et je les regardai s'éloigner en direction du port du Pirée où ils allaient attaquer les bateaux.

Je repris les commandes de mon Hurricane et roulai jusqu'à la cabane de la salle d'ops. Les petits bâtiments étaient criblés de marques de balles et toutes les vitres étaient cassées. Plusieurs des baraquements fumaient encore.

Je descendis de mon avion et me dirigeai vers les cabanes à moitié détruites. Il n'y avait pas âme qui vive. La base entière était déserte. Au loin, j'entendais les rugissements des Stuka piquant sur le Pirée et les explosions des bombes.

– Il n'y a personne ? criai-je.

Je me sentais terriblement seul. Planté entre l'ex-salle d'ops et une autre bicoque en bois, j'avais l'impression d'être l'unique habitant de la Lune. Une fumée gris bleuâtre s'échappait des fenêtres fracassées

de la salle d'ops. De la main droite, je tenais fermement le fameux paquet.

– Hé là ! criai-je à nouveau. Il n'y a personne ?

Silence total. Puis une silhouette apparut à côté de
l'un des baraquements.

C'était un petit homme entre deux âges en complet
gris pâle, coiffé d'un feutre rond. Il semblait totalement
incongru dans ses vêtements impeccables au milieu des
décombres.

– Je crois que ce paquet est pour moi, dit-il.

– Vous vous appelez comment ? demandai-je.

– Carter.

– Prenez-le, dis-je. Au fait, qu'est-ce qu'il y a dedans ?

– Merci d'être venu, dit-il avec un mince sourire.

M. Carter m'avait plu tout de suite. Je savais très bien
qu'il allait rester sur place quand les Allemands occu-
peraient le pays. C'était un clandestin. Et probablement serait-il découvert, torturé et abattu d'une balle
dans la tête.

– Vous allez vous en sortir ? lui dis-je.

J'avais dû élever la voix pour me faire entendre par-
dessus le grondement des bombes explosant sur le
Pirée. Il me tendit la main et je la lui serrai.

– Partez tout de suite, je vous en prie, dit-il. Votre
machine est plutôt visible ici.

Je regagnai l'avion et lançai le moteur. De mon
cockpit, je jetai un coup d'œil vers l'endroit où se
tenait M. Carter quelques instants plus tôt. Je voulais
lui faire un signe d'adieu, mais il avait disparu. Je mis
les gaz et décollai directement à partir du point où

219

j'étais posé. Toujours en rase-mottes et à grande vitesse, je ralliai Mégare où mes six camarades m'attendaient au sol, le moteur en marche. Dès qu'ils m'eurent aperçu, ils décollèrent l'un après l'autre et nous nous réunîmes pour mettre le cap sur l'objectif nommé Argos.

Le général avait dit qu'il s'agissait d'une piste d'atterrissage. En fait, c'était la bande herbeuse la plus étroite, la plus courte, la plus cahoteuse sur laquelle aucun d'entre nous eût jamais reçu l'ordre d'atterrir. Mais il fallait se poser. Et donc nous nous posâmes.

Il était maintenant près de midi. La piste d'Argos était entourée de ces oliviers omniprésents dans la région et parmi les arbres avait été dressé tout un village de tentes. Rien n'est aussi visible depuis les airs qu'une agglomération de tentes, même lorsqu'elles sont montées sous des oliviers. Combien de temps leur faudrait-il pour nous dénicher ici ? Quelques heures tout au plus. Jamais ils n'auraient dû installer des tentes. Le personnel au sol aurait dû dormir sous les arbres. Et nous de même. Notre chef d'escadrille disposait de sa tente personnelle et nous l'y trouvâmes, assis à une table pliante.

– Nous voilà, dîmes-nous.

– Parfait, dit-il. Vous allez patrouiller au-dessus de la flotte ce soir.

Nous restions là, debout, à regarder le capitaine assis derrière sa table vierge de tout papier.

« Il y a quelque chose qui cloche là-dedans, me dis-je. Jamais les Allemands ne vont nous laisser opérer à partir de ce terrain. » Nos supérieurs s'attendaient de

220

toute évidence au pire car ils avaient fait creuser des tranchées parmi les oliviers. Mais il n'est pas possible de cacher des avions, pas plus qu'on ne peut cacher des tentes, surtout quand elles sont faites d'une toile éclatante de blancheur.

– Combien de temps vont-ils mettre à nous trouver ici ? ai-je demandé.

Le capitaine se passa une main sur les yeux, puis il se frotta les orbites de ses phalanges.

– Qui sait ? dit-il.

– Demain nous serons tous liquidés, me hasardai-je à déclarer.

– Nous ne pouvons pas nous défiler et laisser l'armée sans couverture aérienne, dit le capitaine. Nous devons faire de notre mieux.

Nous sortîmes de la tente l'un derrière l'autre, hantés de sombres perspectives.

Le fiasco d'Argos

En sortant de la tente du capitaine, David et moi nous éloignâmes ensemble pour jeter un coup d'œil autour du camp. En vérité, nous cherchions surtout quelque chose à nous mettre sous la dent. Nous étions debout depuis quatre heures du matin et il était maintenant deux heures de l'après-midi. Pas un pilote de notre groupe n'avait eu à manger ou à boire depuis la veille au soir. Nous étions affamés et terriblement assoiffés.

Il devait y avoir environ vingt-cinq tentes disséminées dans l'oliveraie, mais David et moi repérâmes bientôt celle du mess. Dans la précipitation mise à évacuer Éleusis durant la nuit, il semblait que quelqu'un avait oublié de penser au ravitaillement. Les Grecs des environs avaient très vite compris le parti qu'ils pouvaient tirer de la situation et ils affluaient maintenant dans le camp avec d'énormes quantités d'olives noires et de bouteilles de résiné. David et moi fîmes l'achat d'un seau d'olives et de deux bouteilles de vin grec et choisîmes un coin d'herbe à l'ombre d'un arbre pour nous y asseoir et nous restaurer. Nous nous étions installés juste entre nos deux Hurricane si bien que nous pouvions les surveiller en permanence. Le nombre des villageois grecs qui avaient envahi le camp était incroyable. Sans doute avons-nous été le premier terrain d'aviation militaire en zone d'opérations ouvert au public.

Nous étions donc là tous les deux par ce délicieux et chaud après-midi d'avril à déguster les olives juteuses et parfumées et à boire le résiné au goulot tout en contemplant la vaste baie d'Argos, mais on n'y voyait aucune trace de la flottille d'évacuation ou de la Royal Navy. Il n'y avait dans la baie qu'un cargo de tonnage modeste avec un plumet de fumée grise montant de sa cale avant. On nous avait expliqué qu'il s'agissait encore d'un bateau chargé de munitions que les Allemands avaient bombardé dans la matinée. Le feu avait pris sous le pont et tout le monde attendait une énorme explosion.

– Eh bien, dit David, on est là bien tranquilles à se régaler, et tout ça au milieu d'un merdier pas possible.

– Les Allemands savent très bien qu'il reste sept Hurricane en Grèce, dis-je. Ils ont bien l'intention de nous trouver et de nous liquider. Ensuite, ils auront tout le ciel à eux.

– Exactement, reprit David. Et ils n'en ont pas pour longtemps à nous repérer.

– Et à ce moment-là, ajoutai-je, ce camp deviendra un enfer.

– Moi, je saute au fond de la tranchée la plus proche, dit David.

Nous continuions à grignoter des olives en crachant les noyaux entre deux gorgées de résiné ; l'atmosphère était étrangement paisible. Je ne cessais de regarder le cargo de munitions dans la baie, attendant de le voir se volatiliser.

– Il n'y a pas le moindre bateau ni la moindre armée en vue, remarqua David. Où va-t-on patrouiller ce soir ?

– Dis-moi sérieusement, continuai-je, crois-tu qu'on sortira d'ici vivants ?

– Non, répondit David. Je crois qu'on sera morts d'ici vingt-quatre heures. Ou on se fera lessiver en l'air ou ils nous bousilleront au sol. Ils ont assez de taxis pour nous anéantir.

Nous étions toujours assis au même endroit à quatre heures de l'après-midi quand un rugissement subit déchira le ciel juste au-dessus de nous et un Messerschmitt 110 isolé passa très bas au-dessus du camp. Le 110 était un chasseur bimoteur rapide avec un équipage de deux hommes et un rayon d'action supérieur à celui du 109 monomoteur. Nous nous levâmes pour le suivre des yeux tandis qu'il virait sur l'aile au-dessus de la baie et revenait droit sur nous à très basse altitude. Il manifestait un total mépris pour notre système défensif car il savait que nous n'en avions aucun et, comme il passait pour la deuxième fois, nous vîmes clairement le pilote et le mitrailleur arrière qui nous regardaient, leur verrière grande ouverte. Un pilote de chasse ne s'attend jamais à se trouver face à face avec son homologue ennemi. Pour lui, l'ennemi, c'est la machine. Mais cette fois, nous ne voyions que les êtres humains. Ces deux

Allemands se trouvèrent subitement si proches que j'en eus la chair de poule. Leurs visages blêmes étaient tournés vers moi. Casqués de noir, ils avaient remonté leurs lunettes sur le front et, durant une fraction de seconde, j'imaginai que nos regards se croisaient.

Le pilote allemand exécuta avec maestria trois passes au-dessus de notre camp et fila vers le nord.

– Ça y est ! dit David Coke. Cette fois, on est bons !

Une grande agitation se mit à régner dans tout le camp. Les hommes discutaient des conséquences de l'incursion de ce 110. Les Allemands n'avaient, en effet, pas mis longtemps à nous découvrir.

David et moi savions maintenant avec précision quelle serait la suite des événements.

– On peut encore s'en tirer, dis-je. Il lui faudra en gros une demi-heure pour retourner à sa base et faire son rapport sur notre position. Il faudra une demi-heure de plus à son escadrille pour être prête à décoller. Puis encore une demi-heure pour que la meute arrive ici et nous écrabouille. Donc, nous pouvons nous attendre à être pulvérisés par une escadrille de 110 dans une heure et demie, à six heures du soir.

– On pourrait les attaquer nous-mêmes, suggéra David. Si nous montons tous les sept les attendre là-haut à six heures, on pourrait foncer dans le tas.

L'adjoint venait vers nous.

– Ordre du commandant, dit-il. Vous allez patrouiller tous les sept au-dessus de la flotte aussi longtemps que vous pourrez ce soir. Décollage à six heures précises.

– *Six heures* ! s'exclama David. C'est exactement à ce moment-là qu'ils vont rappliquer.

– Qui va rappliquer ? demanda l'adjoint.

– Une escadrille de 110, répondit David. Nous avons fait les calculs, ils vont nous tomber dessus à six heures pétantes.

– Vous paraissez mieux informés que votre commandant, remarqua l'adjoint.

Nous essayâmes de lui faire part avec exactitude de nos déductions, mais c'était inutile.

– Tenez-vous-en aux ordres, déclara l'adjoint. Notre mission, c'est de couvrir les bateaux qui évacuent nos troupes.

– Quels bateaux ? demanda David ? Et quelles troupes ?

Je n'étais qu'un tout jeune sous-lieutenant pilote mais, nom d'un chien, je n'allais pas rester sans réagir !

– Écoutez, dis-je, voulez-vous essayer d'obtenir pour nous l'autorisation de décoller, disons à cinq heures et demie ou même à six heures moins le quart au lieu de six heures ? Cela pourrait suffire à tout changer.

– Je vais essayer, dit l'adjoint et il s'éloigna.

C'était un brave homme. Il revint cinq minutes plus tard, secouant la tête.

– C'est toujours six heures, dit-il.

– Et, précisément, où sont ces bateaux que nous sommes censés protéger ? demandai-je.

– Entre nous, dit l'adjoint, ils n'ont pas l'air très fixés là-dessus. Le mieux pour vous, c'est d'aller patrouiller le long de la côte pour essayer de les trouver.

Lorsqu'il fut parti, je déclarai à David :

– Moi, je sais très bien ce que je vais faire. À six heures moins cinq, je serai assis dans mon cockpit au bout de la piste avec mon moteur en marche, attendant le signal. Ensuite je décollerai en quatrième vitesse.

– Je serai juste derrière toi, dit David. Et je crois qu'on aura de la chance si on est en l'air avant leur arrivée.

À six heures moins cinq, j'étais en position à l'extrémité de la piste avec le moteur qui tournait, prêt à prendre l'air. David à côté de moi dans son appareil était, lui, prêt à me suivre. L'officier de service à terre avait les yeux fixés sur sa montre. Les cinq autres pilotes commençaient à rouler pour sortir de l'oliveraie avec leurs avions.

À six heures, l'officier de service leva le bras et je mis les gaz. Dix secondes plus tard, j'étais en l'air et volais vers la mer. Je jetai un coup d'œil en arrière, David qui me suivait vint se placer à ma hauteur sur la gauche. Au bout d'une minute, je regardai autour de moi, m'attendant à trouver les cinq autres Hurricane dans notre sillage. Ils n'étaient pas là. Je vis David regarder par-dessus son épaule, puis se tourner vers moi et secouer la tête. Nous ne pouvions pas nous parler car nos radios ne fonctionnaient pas. Mais nous devions obéir aux ordres et continuâmes à voler vers la mer. Nous prîmes du champ par rapport au cargo de munitions de peur qu'il explose au-dessous de nous et poursuivîmes notre recherche de la Royal Navy.

Nous restâmes en vol durant plus d'une heure, mais sans jamais voir le moindre bateau. Nous apprîmes plus tard que le gros de l'évacuation se passait sur les plages de Kalamata, beaucoup plus loin vers l'ouest où notre marine assaillie par les Ju 88 et les Stuka subissait un bombardement terrible. Mais personne ne nous avait prévenus. Nous étions en train de revenir et survolions la baie d'Argos quand je repérai quelque chose. C'était un avion, un petit bimoteur qui volait en direction d'Argos, rasant les crêtes montagneuses le long de la côte. Nous n'avions aucun appareil en Grèce, hormis nos Hurricane et ce ne pouvait être qu'un allemand. « Celui-là, je vais l'avoir », me dis-je. J'actionnai la manette de tir et enclenchai le viseur. Puis je mis pleins gaz et piquai sur le petit bimoteur. L'instant d'après, je vis l'appareil de David à ma hauteur, dangereusement près, qui balançait les ailes avec frénésie en agitant une main hors du cockpit en faisant d'énergiques signes de dénégation de sa tête casquée. Puis il désigna l'avion que je me préparais à attaquer. Je regardai à nouveau le bimoteur. Grand Dieu ! Il avait les insignes de la RAF sur la carlingue ! Cinq secondes de plus et je le descendais ! Mais que diable un petit appareil civil non armé venait-il faire dans la zone des combats ? Je venais de reconnaître un De Havilland rapide, capable de transporter une douzaine de passagers. Le laissant poursuivre sa route, nous revînmes vers notre piste d'atterrissage.

Nous nous trouvions encore à plusieurs kilomètres quand nous vîmes la fumée. Elle s'élevait en panaches noirs et gris et s'étalait en épaisse couverture sur le terrain et l'oliveraie. Je frémis en pensant à ce que nous allions découvrir une fois au sol, en admettant même qu'il fût possible de se poser dans cette fumée. Nous nous mîmes à décrire des cercles au-dessus de ce nuage impénétrable dans l'espoir de le voir se dissiper. Il n'y avait pas de vent du tout. Je distinguais tout juste le gros rocher qui marquait l'amorce de la piste mais tout le reste était invisible. Ma jauge d'essence était à zéro. C'était donc maintenant ou jamais. Il en était de même pour David. Il fit son approche le premier et je le vis disparaître dans la fumée. J'attendis soixante secondes et manœuvrai pour me poser après lui. Poser un Hurricane sur une étroite piste herbeuse dans un épais nuage de fumée n'avait rien de réjouissant, mais, avec le gros bloc de rocher pour me guider, je réussis à toucher le sol à peu près au bon endroit. Ensuite, comme l'appareil roulait à cent vingt à l'heure, puis à cent, quatre-vingt-dix, je fermai les yeux, priant le ciel de m'éviter d'emboutir David ou tout autre obstacle invisible. Tout se passa bien, je m'arrêtai et sautai à bas de mon avion.

– David ! appelai-je. Ça va ?

Je ne voyais pas à cinq mètres devant moi.

– Je suis ici ! lança-t-il. J'arrive !

Ensemble, nous nous orientâmes à tâtons à travers le camp. Un certain chaos régnait sur les lieux mais, à notre surprise, nous ne vîmes pas le sol jonché de corps ensanglantés. En fait, les pertes avaient été des plus légères. Voilà ce qui s'était passé. J'avais décollé à six heures pile. David m'avait suivi à six heures une. Trois autres avaient ensuite réussi à prendre leur vol. Ce qui faisait cinq en tout. Mais, tandis que le sixième

Argos

Hurricane prenait de la vitesse pour décoller, un groupe de Messerschmitt avait foncé sur lui au-dessus des oliviers. Le pilote sur le point de quitter le sol avait été tué et son avion touché. Quant au septième, il avait bondi hors de son cockpit pour aller se jeter dans une tranchée. Tous les autres occupants du camp en avaient fait autant. Et ils étaient restés tapis au fond de leurs trous tandis que les Messerschmitt piquaient tour à tour sur le camp, mitraillant tout ce qu'ils voyaient, avions, tentes, camion-citerne de carburant, dépôt de munitions, seaux d'olives et bouteilles de résiné.

Tout cela s'est passé il y a plus de quarante ans, mais même avec le recul du temps je persiste à penser que nous aurions dû recevoir l'ordre de décoller bien avant six heures et de patrouiller non au-dessus d'une flottille d'évacuation inexistante, mais au-dessus du camp et de la piste. Alors il y aurait eu une grande bataille. Nous aurions sans doute perdu ainsi plus d'appareils, mais, du moins, aurions-nous pu attendre l'ennemi et lui sauter dessus avec le soleil derrière nous et bénéficier de l'effet de surprise. Peut-être même les aurions-nous tous descendus. D'un autre côté, il est facile de critiquer les ordres des supérieurs après coup et c'est un jeu auquel aiment à se livrer invariablement tous les subalternes. Mieux vaut ne pas trop céder à ce penchant.

David et moi cherchions notre passage à travers le camp enfumé. Quelqu'un, je crois que c'était l'adjoint, se mit à crier :

— Tous les pilotes à moi ! Par ici. Vite ! Vite !

Nous dirigeant au son de sa voix, nous rejoignîmes l'adjoint qu'entourait toute une bande de pilotes qui semblaient avoir débarqué dans le camp comme par enchantement. Il y avait bien nous six, les survivants de notre escadrille mais, en plus, autour de nous, je comptai au moins une dizaine de visages que je n'avais jamais vus. Un camion débâché apparut, roulant à travers la fumée. Il s'arrêta près de nous, puis l'adjoint entreprit de lire une liste de noms qui se trouvaient être ceux des cinq pilotes les plus anciens de notre groupe. David et moi, bien entendu, n'en faisions pas partie.

— Vous cinq, dit l'adjoint, vous allez rallier la Crète immédiatement avec les cinq Hurricane restants. Tous les autres pilotes, *et seulement les pilotes*, montez dans ce camion. Un petit appareil vous attend sur un terrain près d'ici pour vous emmener hors du pays. Vous n'emportez avec vous que vos carnets de vol.

Nous courûmes à nos tentes pour y prendre les carnets en question. Je cherchai mon précieux appareil photo. Il avait disparu. Il est plus que probable qu'il avait été subtilisé par l'un des nombreux Grecs qui avaient circulé dans tout le camp pendant que j'étais en l'air. Quel qu'il fût, je ne pouvais pas vraiment lui en vouloir. Maintenant, il allait pouvoir vendre ce parfait produit de la maison Zeiss aux Allemands quand ils arriveraient. Mais je trouvai deux rouleaux de pellicule déjà exposés et les glissai dans la poche de mon pantalon. J'empoignai mon carnet de vol, courus rejoindre les autres pilotes et sautai dans le camion. On nous conduisit par un chemin de terre creusé d'ornières jusqu'à un petit terrain d'aviation. Sur la piste attendait le De Havilland rapide que j'avais failli abattre une demi-heure plus tôt. Nous nous empilâmes dans l'avion. Je comprenais maintenant pourquoi l'adjoint nous avait interdit d'emporter avec nous quoi que ce soit d'autre que nos carnets de vol. Le terrain ne mesurait pas plus de deux cents mètres de long et, comme le pilote mettait les gaz et commençait à accélérer, il nous sembla à tous que jamais il ne parviendrait à décoller. Chaque kilo supplémentaire de charge à bord de cet appareil amenuisait ses chances de pouvoir s'arracher du sol. Nous fîmes un bond au-dessus d'un muret de pierres à l'extrémité de la piste et, le souffle coupé, observâmes la manœuvre tandis que l'avion prenait son envol en tanguant. Nous avions réussi de justesse. Tout le monde applaudit.

J'étais assis près d'un hublot avec David à côté de moi. À peine vingt minutes plus tôt, nous nous posions à l'aveuglette parmi les oliviers noyés de fumée et les tentes brûlées. Maintenant, à mille pieds au-dessus de la Méditerranée, nous volions vers les côtes d'Afrique du Nord. Le soleil déclinait et la mer au-dessous de nous virait du vert pâle au bleu sombre.

– Nous sommes bons pour un atterrissage de nuit, dis-je.

– Ce ne sera rien pour le pilote, dit David. S'il a pu décoller d'un miniterrain pareil avec nous tous à bord, il est capable de n'importe quoi.

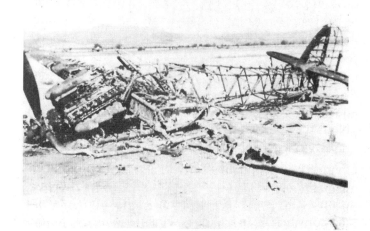

Argos, un Hurricane

Deux heures plus tard, nous nous posions sur une bande de sable éclairée par la lune et connue sous le nom de Martin Bagush dans le désert de Libye. Dans l'obscurité, un camion nous attendait, qui nous embarqua tous et prit la route d'Alexandrie. Nous arrivâmes à Alexandrie tôt le lendemain matin, crasseux, non rasés et chargés pour tout bagage de nos carnets de vol.

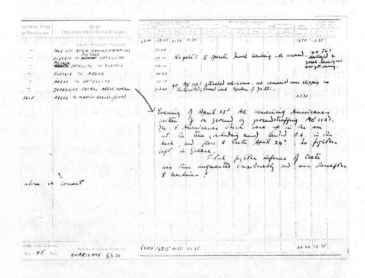

Nous n'avions pas d'argent égyptien. Je pris la tête de notre groupe, neuf jeunes pilotes en tout, et les conduisis le long des rues d'Alexandrie jusqu'à la somptueuse demeure du major Bobby Peel et de sa femme, ce couple d'Anglais fortunés qui m'avait recueilli durant ma convalescence quelques semaines plus tôt. Je sonnai à la porte. Le maître d'hôtel soudanais vint ouvrir.

Il regarda avec inquiétude la bande de jeunes gens dépenaillés groupés sur le seuil.

– Bonjour, Saleh, dis-je. Le major Peel et Madame sont là ?

Il ouvrit de grands yeux.

– Oh, monsieur ! s'exclama-t-il. C'est vous ! Oui, monsieur, le major et Mme Peel sont en train de prendre leur petit déjeuner.

J'entrai dans la maison et appelai mes amis dans la salle à manger. Les Peel furent merveilleux. Toute la maison fut mise à notre disposition. Il y avait une salle de bains à chacun des quatre niveaux et nous nous y engouffrâmes aussitôt. Des rasoirs, du savon à barbe, des serviettes apparurent comme par magie. Après nous être baignés et rasés, nous allâmes nous asseoir autour de l'immense table de la salle à manger devant un copieux petit déjeuner et nous parlâmes avec les Peel de la Grèce.

– Je crois que plus personne ne pourra sortir du pays, remarqua Bobby Peel. (C'était un homme entre deux âges, trop vieux pour reprendre du service, mais il occupait un poste important au QG de l'armée britannique.) La Marine essaie d'embarquer le maximum de troupes, mais la situation est critique. Ils n'ont aucune couverture aérienne.

– C'est le moins qu'on puisse dire, intervint David Coke.

– Cette opération a été une bourde énorme de A jusqu'à Z, dit quelqu'un.

– En effet, je le crois, approuva Bobby Peel. Jamais nous n'aurions dû nous aventurer en Grèce.

Le fiasco grec n'était qu'un infime intermède de la guerre qui faisait rage dans le monde entier mais, en ce qui concerne le Moyen-Orient, il n'en était pas moins important. Les troupes et les avions perdus au cours de cette campagne avortée avaient tous été prélevés sur nos forces déjà clairsemées dans le désert de Libye qui, par conséquent, étaient si affaiblies que notre armée subissait dans le désert défaite sur défaite et que Rommel menaçait d'envahir l'Égypte et de se rendre maître de tout le Moyen-Orient. Il fallut en vérité deux ans pour reconstituer l'armée du désert et parvenir à gagner la bataille d'El-Alamein et pour assurer la sécurité du Moyen-Orient jusqu'à la fin des hostilités.

La poignée de pilotes qui avait survécu à la campagne de Grèce avait bénéficié d'une chance exceptionnelle. Les cinq vétérans qui avaient ramené nos Hurricane jusqu'à la Crète devaient se battre avec courage au-dessus de l'île lorsque les Allemands, peu après, avaient déclenché une importante opération de débarquement aéroportée. Je sais que l'un d'entre eux au moins, Bill Vale, de l'escadrille 80, survécut et parvint à s'échapper lorsque l'île fut occupée pour reprendre ensuite le combat, mais j'ignore ce qu'il est advenu des autres.

Chère maman,

Je ne sais pas trop quelles nouvelles te donner. Nous avons vécu des moments très durs en Grèce. Ça n'avait rien de drôle d'affronter la moitié de l'aviation allemande avec quelques malheureux chasseurs. Mon avion a pas mal trinqué, mais j'ai réussi à rentrer. La difficulté, c'était de choisir le bon moment pour atterrir, quand les Allemands n'étaient pas en train de mitrailler notre terrain. Plus tard, on a fait des sauts de puce d'un point à un autre pour essayer de protéger le réembarquement. On cachait les avions dans les oliveraies en les couvrant de branches d'oliviers pour empêcher, sans aucun succès d'ailleurs, les Allemands qui pullulaient en l'air de nous repérer. Enfin, je pense que nous ne revivrons pas des heures aussi éprouvantes…

Palestine et Syrie

Après s'être rendus maîtres de la Grèce en mai 1941, les Allemands montèrent une vaste opération de débarquement aéroportée en Crète. Ils prirent la Crète, s'emparèrent de l'île de Rhodes puis, galvanisés par le succès, ils orientèrent leurs ambitions vers les points les plus vulnérables de tout le Moyen-Orient, la Syrie et le Liban. Ces régions étaient vulnérables parce qu'elles étaient entièrement contrôlées par une importante armée française vichyssoise inféodée à l'Allemagne.

Bien des gens sont au courant des graves problèmes que la flotte française vichyssoise posa à la Grande-Bretagne en 1941, après la défaite de la France. Notre marine se vit contrainte de mettre les bâtiments français hors de combat en les bombardant devant Oran pour être sûre qu'ils ne tomberaient pas aux mains des Allemands. C'est un épisode bien connu de l'histoire, mais rares sont ceux qui savent dans quel chaos les Français de Vichy plongèrent la Syrie et le Liban à la même époque. Ils étaient fanatiquement antianglais et progermaniques et si, avec leur aide, les Allemands avaient réussi à prendre pied en Syrie durant cette période cruciale, ils auraient pu envahir l'Égypte sur ses arrières. Il fallait donc à tout prix déloger les vichystes de la Syrie dans les plus brefs délais.

La campagne de Syrie, comme on l'appela, commença presque aussitôt après la chute de la Grèce, et une armée considérable réunissant des troupes britanniques et australiennes fut envoyée à travers la Palestine pour aller combattre les Français de Vichy. Cette petite guerre fut sanglante, causa la perte de milliers de vies humaines et, pour ma part, je n'ai jamais pardonné au régime de Vichy le massacre inutile qu'il a provoqué.

La couverture aérienne de notre armée et de notre marine devait être assurée par les restes de la bonne vieille escadrille 80, et une douzaine de Hurricane neufs furent rapidement expédiés d'Angleterre pour remplacer ceux que nous avions perdus en Grèce. Je commençais à comprendre pourquoi il était si important de nous faire sortir vivants de Grèce, nous autres pilotes, même sans nos appareils. Il faut beaucoup plus de temps pour parfaire l'entraînement d'un pilote que pour construire un avion. Certes, il eût été encore plus logique de sauver quelques-uns de ces Hurricane grecs en même temps que les pilotes, mais tel ne fut pas le cas.

L'escadrille 80 devait être reformée à Haïfa, au nord de la Palestine, durant la dernière semaine de mai 1941. Chaque pilote reçut pour mission d'aller chercher son nouvel appareil à Abu Suweir, sur le canal de Suez, et de le ramener à l'aérodrome d'Haïfa. Je demandai à l'état-major de l'Air du Moyen-Orient si quelqu'un d'autre pourrait prendre les commandes de mon avion car j'avais l'intention de faire le trajet dans ma voiture personnelle. J'étais devenu le fier propriétaire d'une berline Morris Oxford 1932, donc âgée de neuf ans, un engin dont la carrosserie avait reçu une couche d'un brun terne répugnant évoquant la crotte de chien et dont la vitesse maximale en ligne droite et sur terrain plat était de cinquante-cinq kilomètres à l'heure. Sans enthousiasme, l'état-major avait accédé à ma requête.

Le canal de Suez était traversé par un bac à Ismaïlia. C'était un simple ponton de bois tiré d'une rive à l'autre par des câbles qui nous transporta, ma voiture et moi, jusqu'à la rive du Sinaï. Mais, avant d'être autorisé à entreprendre la longue traversée solitaire du désert du Sinaï, je dus fournir aux autorités la preuve que j'avais avec moi cinq gallons d'essence de réserve et un bidon de cinq gallons d'eau potable. Après quoi je pris la route. Ce voyage fut pour moi un enchantement. Ce fut un enchantement parce que, jusque-là, je ne m'étais jamais de ma vie trouvé vraiment seul à l'écart des hommes durant une journée et une nuit complètes. Rares sont d'ailleurs ceux qui ont connu ce privilège. Il n'y avait qu'une route étroite et dure courant à travers l'étendue sablonneuse du désert du canal jusqu'à Beersheba, sur la frontière de la Palestine. La distance totale à parcourir était de trois cent vingt kilomètres et il n'y avait pas un village, pas la moindre cabane, aucun signe de présence humaine du départ à l'arrivée. Comme je roulais en brimbalant à travers le paysage stérile et désolé, je commençai à me demander combien d'heures ou de jours je devrais attendre l'apparition d'un autre voyageur au cas où ma voiture tomberait en panne. Je fus bientôt fixé à ce sujet. J'étais au volant depuis environ cinq heures quand, sous l'écrasante chaleur de l'après-midi, mon radiateur se mit à bouillir. Je m'arrêtai, soulevai le capot et attendis que la température de l'eau baisse un peu. Au bout d'une heure, je pus dévisser le bouchon du radiateur et y verser l'eau qui manquait, mais je me rendis compte qu'il serait absurde de me remettre en route sous le soleil de plomb, car mon moteur recommencerait de toute évidence à chauffer. Il faut attendre le coucher du soleil, me dis-je. Cependant, je savais également que je ne pouvais pas conduire la nuit car mes phares ne fonctionnaient pas et je n'allais certainement pas courir le risque de sortir de l'étroite bande carrossable pour m'enliser dans le sable mou. J'étais devant un sérieux dilemme et la seule façon de l'éluder était, à mon sens, d'attendre l'aube et de foncer vers Beersheba avant que le soleil se mît à surchauffer mon moteur. J'avais emporté une grosse pastèque en guise de ration de survie et je m'en coupai une tranche en éjectant les graines noires de la pointe de mon couteau, puis me rafraîchis de la chair rose et juteuse, debout près de la voiture sous le soleil. Il n'y avait d'ombre nulle part, excepté à l'intérieur de l'auto où l'on se serait cru dans un four. Je rêvais d'un parasol ou de n'importe quelle autre source d'ombre, mais je n'avais rien. Je portais un short et une chemise kaki et j'étais coiffé d'une casquette bleue de la RAF. Je trouvai pourtant un chiffon que j'imbibai d'eau tiède, l'étalai sur ma tête et remis ma casquette par-dessus. C'était mieux que rien. À pas lents, j'allais et venais le long de la route brûlante, contemplant avec émerveillement le paysage environnant. Il y avait le soleil aveuglant, le vaste ciel incandescent et, au-dessous, de toutes parts, une mer immense et jaune pâle de sable qui semblait faire partie d'un autre monde. Dans le lointain, sur la droite, s'élevaient des montagnes teintées d'ocre délavé avec des reflets bleus qui, surgies du désert, se fondaient dans le ciel vibrant d'une chaleur torride. Partout régnait un calme absolu. Pas le moindre son ne s'élevait, pas un crissement d'insecte, pas un chant d'oiseau et j'éprouvai un étrange sentiment de puissance supraterrestre, seul au milieu de ce prodigieux décor déshumanisé, comme si je m'étais trouvé sur une autre planète – Jupiter ou Mars – ou dans un monde encore plus désolé où jamais ne pousserait un brin d'herbe, ni ne fleurirait une rose.

Je continuais à arpenter avec lenteur la route, attendant que le soleil décline et que la nuit apporte la fraîcheur. Puis, soudain, dans le sable à une vingtaine de centimètres de la route, je vis un scorpion géant. Noir de jais, il avait bien quinze centimètres de long et portait accrochés sur son dos, comme des voyageurs sur l'impériale d'un autocar, ses petits. Je me penchai pour les compter. Un, deux, trois, quatre, cinq... Ils étaient quatorze en tout ! À ce moment-là, il me vit. Je suis bien certain que j'étais le premier être humain qu'il eût rencontré et il redressa sa queue par-dessus son corps avec les pinces largement ouvertes, prêt à frapper pour défendre sa famille. Je reculai d'un pas et continuai à l'observer, fasciné. Il courut rapidement sur le sable et disparut dans un trou qui devait être son terrier.

À peine le soleil couché, la nuit tomba presque aussitôt et avec la nuit vint une chute spectaculaire et bienfaisante de la température. Je mangeai une autre tranche de pastèque, bus un peu d'eau, me tassai de mon mieux sur la banquette arrière de la voiture et m'endormis.

Je repartis le lendemain matin aux premières lueurs de l'aube et, deux heures plus tard, j'avais achevé la traversée du désert et avais atteint Beersheba. Je poursuivis ma route au nord à travers la Palestine, passant par Jérusalem et Nazareth et, en fin d'après-midi, je longeai le mont Carmel et descendis dans Haïfa. L'aérodrome se trouvait dans les faubourgs de la ville, en bordure de mer. Je passai triomphalement avec ma voiture devant le poste de garde et allai me garer devant le mess des officiers, un petit baraquement en bois couvert de tôle ondulée.

Nous avions neuf Hurricane à Haïfa et un nombre égal de pilotes et, durant les jours qui suivirent, nous n'eûmes pas un instant de répit. Notre tâche essentielle était de protéger la Royal Navy. Notre flotte de guerre, mouillée dans le port de Haïfa, comportait deux grands croiseurs et plusieurs torpilleurs qui, tous les jours, remontaient le long de la côte vers Tyr et Sidon pour bombarder les forces vichystes dans les montagnes autour de Damour. Et, chaque fois que nos navires sortaient, les Allemands venaient les attaquer. Ils étaient basés à Rhodes où ils avaient aménagé une importante base de bombardiers Ju 88 que nous rencontrions pratiquement tous les jours au-dessus des bateaux. Ils arrivaient, volant à huit mille pieds et, en général, nous les attendions. Nous leur plongions dessus, visant leurs moteurs, canardés par leurs mitrailleurs avant et arrière ; le ciel était rempli d'explosions d'obus tirés par les bateaux et, lorsque l'un d'eux éclatait trop près, l'avion se cabrait comme un pur-sang sous la morsure d'un fouet. Parfois l'aviation de Vichy se joignait aux Allemands. Ils avaient des Glenn Martin américains, des Dewoitine et des Potez 63. Nous en abattîmes plusieurs et ils tuèrent quatre de nos neuf pilotes. Puis les Allemands touchèrent le torpilleur Isis et nous passâmes la journée à décrire des cercles en nous relayant au-dessus du bateau pour tenir en respect les Ju 88 pendant qu'un remorqueur le ramenait vers le port de Haïfa.

Un jour où nous étions partis en mission pour mitrailler au sol des avions vichystes sur un terrain près de Rayak, tandis que nous faisions un passage sur la base au milieu de la journée, nous vîmes avec stupeur tout un groupe de jeunes femmes en robes de coton multicolore, debout près des appareils avec des verres à la main, trinquant avec les pilotes français, et je me souviens d'avoir vu des bouteilles de vin posées sur l'aile d'un des avions tandis que nous les survolions en rase-mottes. C'était un dimanche matin et les Français, de toute évidence, festoyaient avec leurs petites amies, plastronnant devant leurs machines ; cette attitude en pleine guerre, sur une base aérienne avancée, me parut typiquement française. Nous évitâmes tous de tirer lors de cette première passe et rien ne fut plus comique que la galopade de ces filles en hauts talons lâchant leurs verres et se ruant vers la porte du bâtiment le plus proche. Nous exécutâmes une deuxième attaque mais, cette fois, ils étaient prêts et leur défense au sol alertée, et je crains que notre galanterie n'ait eu pour résultat de provoquer des avaries à nos Hurricane, y compris le mien. Mais nous détruisîmes cinq de leurs appareils au sol.

Un matin, le commandant de l'escadrille me prit à part et m'annonça qu'une petite piste d'atterrissage annexe avait été aménagée à environ quarante-cinq kilomètres à l'intérieur des terres derrière le mont Carmel, à partir de laquelle notre escadrille pourrait opérer si jamais l'aérodrome d'Haïfa subissait un fort bombardement.

– Je veux que vous alliez y jeter un coup d'œil, dit le capitaine. S'il y a le moindre risque, ne vous posez pas et, si vous le faites, examinez bien les lieux. Ce terrain est destiné à servir de base de repli secrète où les Ju 88 ne puissent pas nous repérer.

Haïfa, appareil des forces de Vichy abattu

Je pris l'air seul et, dix minutes plus tard, aperçus un ruban de terre sèche passé au rouleau au milieu d'un vaste champ de maïs. Sur un côté, il y avait une plantation de figuiers et plusieurs baraques de bois étaient visibles parmi les arbres. J'atterris et, une fois arrêté, coupai le moteur.

Soudain, surgissant des figuiers et des bicoques, se précipita vers moi une horde d'enfants. Ils environnèrent mon Hurricane en faisant des bonds d'excitation, criant, riant, gesticulant. Ils étaient bien une quarantaine en tout. Ensuite arriva un homme de haute taille et barbu qui se fraya un passage parmi les enfants en leur intimant l'ordre de se tenir à l'écart de l'avion. Je sortis de mon cockpit et l'homme vint me serrer la main.

– Bienvenue dans notre village, dit-il avec un fort accent allemand.

J'avais vu assez d'Allemands parlant anglais à Dar es-Salaam pour reconnaître cet accent caractéristique et maintenant, bien entendu, tout ce qui se rapportait de près ou de loin à l'Allemagne déclenchait dans ma tête un signal d'alarme. De plus, le capitaine l'avait bien spécifié, cette piste devait rester secrète et voilà que j'étais reçu par un comité d'accueil de cinquante jeunes braillards flanqués d'un géant à barbe noire qui ressemblait au prophète Isaïe et parlait comme un imitateur de Hitler. Je commençai à me demander si je m'étais bien posé sur le bon terrain.

– Je croyais que personne ne connaissait cet endroit, dis-je au barbu.

Il me sourit.

– Nous coupons le maïs nous-mêmes et aidons à aplanir la piste, dit-il. C'est notre champ.

– Mais qui êtes-vous et qui sont ces enfants ? demandai-je.

– Nous sommes des réfugiés juifs, dit-il. Les enfants sont tous des orphelins. Ici, nous sommes chez nous.

Haïfa, mon Hurricane

Les yeux de cet homme brillaient d'un éclat extra-ordinaire. Jamais je n'avais vu de pupilles aussi grandes, aussi noires, aussi étincelantes et l'iris qui les entourait était d'un bleu d'azur.

Dans l'excitation que suscitait chez eux la vue d'un véritable avion de chasse, les enfants commençaient à s'écraser contre l'appareil et à manipuler les organes mobiles du gouvernail.

—Non ! Non ! criai-je. Surtout ne faites pas ça ! Attention, ne vous approchez pas. Vous risquez de l'abîmer.

L'homme s'adressa d'un ton impératif aux enfants en allemand et ils s'écartèrent tous docilement.

—Des réfugiés de quel pays ? demandai-je. Et comment êtes-vous arrivés ici ?

—Voulez-vous une tasse de café ? proposa l'homme. Allons dans ma cabane. (Il choisit trois des garçons les plus âgés et les chargea de garder le Hurricane.) Votre avion ne risque plus rien maintenant.

Je le suivis jusqu'à une petite bicoque de bois parmi les figuiers. À l'intérieur se trouvait une jeune femme aux cheveux noirs et l'homme lui parla en allemand, mais sans me présenter. La femme versa un peu d'eau d'un seau dans une casserole qu'elle mit à chauffer sur un réchaud à pétrole. L'homme et moi, nous étions assis sur des tabourets devant une table de bois blanc. Sur la table, il y avait un pain qui semblait avoir été fait sur place et un couteau.

– Vous paraissez surpris de nous trouver ici, dit l'homme.

– En effet. Je ne m'attendais pas à rencontrer qui que ce soit.

– Nous sommes partout, dit l'homme. Dispersés dans tout le pays.

– Pardonnez-moi, dis-je, mais je ne saisis pas. Qu'entendez-vous par « nous » ?

– Les réfugiés juifs.

Je ne comprenais pas du tout à quoi il faisait allusion. J'avais vécu en Afrique orientale durant les deux dernières années et, à cette époque, les colonies britanniques étaient des sortes de coteries coupées du reste du monde. Le journal local, notre seule lecture, n'avait jamais parlé des persécutions antisémites multipliées par Hitler en 1938 et 1939. De même, j'ignorais totalement que le plus grand génocide de l'histoire était précisément en train de se perpétrer.

– La terre vous appartient-elle ?

– Pas encore.

– Vous voulez dire que vous espérez l'acheter ?

Il me considéra en silence pendant un instant, puis il déclara :

– La terre est actuellement la propriété d'un fermier palestinien, mais il nous a accordé la permission de vivre ici. Il nous a également autorisés à cultiver quelques champs pour y faire pousser notre propre nourriture.

– Alors où comptez-vous aller ensuite ? lui demandai-je. Vous et tous vos orphelins ?

– Nous n'irons nulle part, dit-il en souriant dans sa barbe noire. Nous restons ici.

– Alors, vous allez tous devenir palestiniens, dis-je, à moins que vous ne le soyez déjà.

Il sourit à nouveau, sans doute devant la naïveté de ma question.

– Vous êtes un jeune homme qui pilotez des aéroplanes, dit-il, et je ne pense pas que vous compreniez nos problèmes.

– Quels problèmes ? demandai-je.

La jeune femme posa deux gobelets de café sur la table avec une boîte de lait condensé percée de deux trous. L'homme versa quelques gouttes de lait dans mon gobelet et le remua avec l'unique cuiller. Il en fit autant avec son café et but une gorgée.

– Vous avez un pays où vous vivez et qui s'appelle l'Angleterre, dit-il. Donc vous n'avez pas de problème.

– Pas de problème ! m'écriai-je. L'Angleterre se bat pour sa vie toute seule contre la presque totalité de l'Europe ! Nous nous battons même contre les Français de Vichy, et c'est pourquoi nous sommes en ce moment ici en Palestine ! Oh, non, ce ne sont pas les problèmes qui nous manquent !

Je commençais à me monter la tête. Que cet homme au milieu de ces figuiers vînt me raconter que je n'avais pas de problème alors que je risquais ma peau tous les jours m'ulcérait.

Ramat David

– Moi-même, j'ai un problème qui consiste à essayer de rester en vie, conclus-je.

– Ça, c'est un très petit problème, dit l'homme. Le nôtre est beaucoup plus important.

J'en restai pantois. Cet homme ne semblait nullement se soucier de la guerre que nous menions. Il était apparemment accaparé par ce qu'il appelait son problème qui m'échappait totalement.

– Ça vous est égal qu'on batte Hitler ou non ? lui demandai-je.

– Non, bien sûr. Il est essentiel que Hitler soit battu. Mais ce n'est qu'une question de mois ou d'années. Historiquement, ce sera une guerre très courte. C'est également la guerre de l'Angleterre. Pas la mienne. Ma guerre à moi dure depuis le temps du Christ.

– Je ne vous suis pas du tout, dis-je.

Je commençais à me demander si je n'avais pas affaire à un fou. Il semblait livrer un combat très personnel sans aucun rapport avec le nôtre.

Je me souviens encore de l'intérieur de cette cabane, de ce barbu aux yeux brillants qui parlait par énigmes.

– Nous avons besoin d'une patrie, me disait-il. D'un pays qui soit le nôtre. Même les Zoulous ont le Zululand. Mais nous, nous n'avons rien.

– Vous voulez dire que les juifs n'ont pas de patrie ?

– Exactement. Et il est temps que nous en trouvions une.

– Mais comment allez-vous faire pour la trouver ? Tous les pays sont occupés par leurs habitants. La Norvège est aux Norvégiens, le Nicaragua aux Nicaraguayens. C'est la même chose partout dans le monde.

– Nous verrons, dit l'homme, buvant à petites gorgées son café.

La femme aux cheveux noirs qui lavait des assiettes dans une cuvette d'eau posée sur une petite table nous tournait le dos.

– Vous pourriez prendre l'Allemagne, suggérai-je avec à-propos. Quand nous aurons vaincu Hitler, l'Angleterre pourra peut-être vous donner l'Allemagne.

– Nous ne voulons pas de l'Allemagne.

252

– Alors à quel pays pensez-vous ? demandai-je, mani-festant une fois de plus mon ignorance.

– Si vous voulez vraiment quelque chose, reprit-il, et si vous avez un besoin vital de ce quelque chose, vous pouvez toujours l'obtenir. (Il se leva et me tapa sur l'épaule.) Vous avez beaucoup à apprendre, mais vous êtes un brave garçon. Vous vous battez pour la liberté. Et moi aussi.

Ramat David, camp de l'escadrille 80

Il m'entraîna hors de la cabane parmi les figuiers couverts de petits fruits encore verts. Tous les enfants étaient groupés autour de mon Hurricane qu'ils contem-plaient avec émerveillement. J'avais acheté un autre Zeiss au Caire pour remplacer celui disparu en Grèce et je m'arrêtai pour prendre un instantané de quelques enfants groupés autour de l'avion. Le barbu m'ouvrit avec douceur un passage parmi les gosses attroupés,

253

ébouriffant les cheveux de l'un ou l'autre avec des gestes affectueux, le sourire aux lèvres. Puis il me serra la main et me dit :

— Ne pensez pas que nous ne sommes pas reconnaissants. Vous accomplissez une grande tâche. Je vous souhaite bonne chance.

— Bonne chance à vous aussi, dis-je en grimpant dans le cockpit.

Ramat David

Je mis le contact, repartis pour Haïfa et signalai que la piste semblait tout à fait utilisable et qu'il y avait sur place une foule d'enfants avec lesquels les pilotes pourraient jouer si jamais ils étaient obligés d'aller se réfugier là-bas. Trois jours plus tard, les Ju 88 se mirent à bombarder Haïfa avec acharnement et nous allâmes donc poser nos appareils dans le champ de maïs où une vaste tente fut installée pour nous parmi les figuiers. Nous ne restâmes là que quelques jours pendant lesquels nous nous entendîmes fort bien avec les enfants, mais le barbu, nous voyant si nombreux, parut se replier sur lui-même et devint très distant. Il ne se confia plus une seule fois à moi comme lors de notre première rencontre et, vis-à-vis de tous, se renferma dans le silence.

Le nom de cette petite colonie d'orphelins juifs était Ramat David. Il est noté dans mon carnet de vol. Qu'il y ait subsisté une communauté ou non, je l'ignore. Le seul nom le plus proche que j'aie pu trouver sur mon atlas est Ramat Dawid, mais il ne peut s'agir du même endroit, il est situé par trop au sud.

Retour au pays

J'étais à Haïfa depuis exactement un mois, volant à un rythme intensif tous les jours (selon mon carnet de vol, j'ai décollé cinq fois le 15 juin et ai passé en l'air huit heures et dix minutes) quand, brusquement, je fus pris d'atroces maux de tête. Ils ne se produisaient que lorsque je volais et seulement durant les combats les plus acharnés avec l'ennemi. Les douleurs se déclaraient quand j'effectuais des virages serrés ou des changements brusques de direction, lorsque mon corps était soumis à de fortes accélérations et j'avais alors l'impression qu'on me plantait un couteau dans le front. Plusieurs fois, il m'arriva même de perdre conscience durant plusieurs secondes. J'allai consulter le médecin de l'escadrille. Il étudia mon dossier médical et secoua gravement la tête. Ces maux de tête étaient, sans aucun doute, dus aux sérieuses blessures que j'avais reçues quand mon Gladiator s'était écrasé dans le désert de Libye et je ne devais sous aucun prétexte reprendre les commandes d'un avion de chasse. Il m'assura que si je continuais à voler, je risquais de m'évanouir en plein vol et ce serait la fin pour moi et pour mon avion.

– Alors qu'est-ce que je deviens ? demandai-je au toubib.

– Vous serez rapatrié comme invalide en Angleterre, dit-il. Ici, vous ne pouvez plus être utile au pays.

> *Haïfa, Palestine*
> *28 juin 1941*
>
> *Chère maman,*
> *Nous avons volé constamment ces derniers temps ; peut-être as-tu eu quelques échos à la radio. Quelquefois, il m'arrive de passer jusqu'à sept heures par jour en l'air, ce qui est beaucoup pour un chasseur. En tout cas, ma tête supporte plutôt mal ce régime et, depuis trois jours, j'ai cessé de voler. Peut-être vais-je passer un nouvel examen médical pour savoir si je suis encore ou non en état de piloter. Ils parlaient même de m'envoyer en Angleterre, ce qui ne serait pas si mal, n'est-ce pas ? En un sens, c'est bien dommage parce que je viens à peine de m'y mettre. J'ai cinq victoires homologuées, quatre allemands et un français, et un bon nombre d'autres non homologuées, sans parler des avions que j'ai mitraillés au sol. Nous avons perdu quatre pilotes de l'escadrille au cours des deux dernières semaines. À part ça, le pays est merveilleux et on mène ici une vie de cocagne…*

J'emballai mes affaires et dis au revoir à mon valeureux ami David Coke. Il devait rester avec l'escadrille jusqu'à la fin de la campagne de Syrie. Il continua à piloter son Hurricane et à combattre les Allemands durant des mois dans le désert de Libye. Il fut décoré pour sa bravoure. Puis, à la fin, issue tragique, mais presque inévitable, il fut abattu et tué.

Je repartis au volant de ma vieille Morris Oxford vers l'Égypte et, cette fois, la température était plus supportable lorsque je parvins au désert du Sinaï. Je fis le trajet en sept heures avec un seul arrêt pour faire le plein. Peu après, j'embarquai à Suez sur le luxueux paquebot français *Île-de-France* qui avait été transformé en transport de troupes. Nous mîmes le cap au sud vers Durban et là je fus transféré sur un autre bateau dont j'ai oublié le nom. Après une escale au Cap, nous remontâmes vers le nord jusqu'à Freetown, en Sierra Leone. Là, je descendis à terre et achetai un énorme sac de citrons et de citrons verts pour les rapporter à ma famille en Angleterre où sévissait le rationnement.

Je remplis un autre sac de confiture d'oranges en boîte, de sucre et de chocolat, denrées que je savais presque introuvables chez nous. Dans une petite boutique de Freetown, je trouvai des coupons de tissus de soie français superbes d'avant la guerre et en achetai assez pour fabriquer une robe à chacune de mes sœurs.

Le voyage de Freetown à Liverpool fut fertile en émotions. Notre convoi était sans cesse attaqué par des meutes de sous-marins et aussi par des bombardiers allemands Focke-Wulf à long rayon d'action partis de la côte ouest de la France, et tous les soldats à bord furent mobilisés pour servir les mitrailleuses et les canons Bofors qui avaient été installés en grand nombre sur les ponts supérieurs. Nous canardions les Focke-Wulf trapus qui nous survolaient à basse altitude et, de temps à autre, quand nous croyions avoir repéré un périscope dans les vagues, nous nous déchaînions contre lui. Chaque jour durant deux semaines, je crus que notre navire allait être expédié par le fond à coups de bombe ou de torpille. Nous vîmes couler trois autres bateaux de notre convoi et stoppâmes une fois pour récupérer les survivants. En une autre occasion, une bombe nous manqua de si peu que le bateau fut inondé d'un bout à l'autre par le geyser qu'elle provoqua.

Mais la chance ne nous abandonna pas et, après quinze jours en mer, par une nuit humide et sombre, nous vînmes nous amarrer aux docks de Liverpool. Je descendis en courant la passerelle et me mis à la recherche d'une cabine téléphonique épargnée par les bombardements. En ayant enfin découvert une, je me mis à trembler d'excitation à l'idée de parler enfin à ma mère après trois ans de séparation. Elle ne pouvait pas savoir que j'étais en route pour l'Angleterre. La censure postale n'aurait pas laissé passer des informations de ce genre et je n'avais moi-même aucune nouvelle de la famille depuis de nombreux mois. Aucune lettre venant d'Angleterre n'était arrivée à Haïfa.

J'obtins une standardiste au bout du fil et lui donnai notre vieux numéro dans le Kent. Après une pause, elle m'annonça que la ligne n'était plus en service depuis des mois. Je lui demandai de s'enquérir auprès du centre de contrôle.

– Non, me répondit-elle, il n'y a pas de Dahl à Bexley, ni ailleurs dans le comté de Kent.

Il me sembla que la téléphoniste était une vieille dame affable. Je lui expliquai que j'avais passé trois ans à l'étranger et que j'essayais de retrouver ma mère.

– Elle a dû déménager, me dit-elle. Elle a dû être bombardée comme tout le monde et obligée de changer de maison.

Elle était trop attentionnée pour ajouter que la famille entière avait pu être anéantie dans un bombardement, mais je savais qu'elle y pensait et sans doute se faisait-elle le même raisonnement à mon égard.

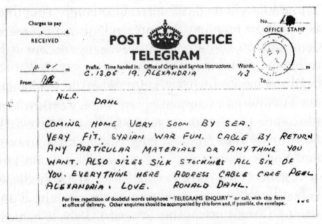

Arriverai bientôt par mer - Câblez par retour indiquant marchandises désirées - On trouve tout ici - Donnez aussi pointures bas de soie pour les six - Adressez télégramme chez Peel - Alexandrie - Tendresses. Ronald Dahl

Remis trois mois plus tard !

J'attendis dans la cabine obscure sur les docks de Liverpool, le récepteur pressé contre l'oreille, me demandant ce que j'allais dire à ma mère si j'avais la chance de la joindre.

Au bout d'un moment, la standardiste revint en ligne et m'annonça :

– J'ai trouvé une Mme Dahl, une Mme S. Dahl qui habite un endroit appelé Grendon Underwood. Est-ce que ça pourrait être celle-là ?

– Oh non, dis-je, je ne crois pas. Mais merci de vous être donné tout ce mal.

J'aurais dû lui dire : « Essayez toujours de demander ce numéro. On ne sait jamais. » Car il s'agissait bien de la nouvelle adresse de ma mère. Une bombe était tombée sur leur maison du Kent pendant que ma mère, deux de mes sœurs et leurs quatre chiens s'étaient sagement mis à l'abri dans la cave.

Ils s'étaient extirpés des décombres le lendemain matin et, voyant leur maison en ruine, s'étaient simplement empilés dans la petite Hillman Minx de la famille. Les trois femmes et les quatre chiens, traversant Londres, s'étaient dirigés au nord vers le Buckinghamshire. Elles avaient ensuite exploré méthodiquement les villages de la région à la recherche d'une maison portant la pancarte À *vendre*. Dans le hameau de Grendon Underwood, à quinze kilomètres au nord d'Aylesbury, elles avaient trouvé un petit cottage blanc avec un toit de chaume et un panneau portant l'inscription qu'elles guettaient planté dans la haie. Ma mère n'avait pas de quoi acheter la maison, mais une de mes sœurs avait un peu d'argent de côté et elles avaient fait l'acquisition du cottage séance tenante.

Mais, lors de cette humide et sombre soirée dans les docks de Liverpool, j'ignorais tout de cette histoire.

Je retournai au bateau, y pris mon bagage et mes deux sacs de citrons et de confiture d'oranges et, ma charge sur le dos, fléchissant sous le poids, je gagnai la gare où je trouvai un train pour Londres. Toute la matinée suivante, je restai assis à la portière de mon wagon, contemplant avec ravissement les champs verdoyants et luisants de pluie de l'Angleterre. J'avais oublié à quoi ils ressemblaient. Après les plaines poussiéreuses d'Afrique orientale et les déserts de sable de l'Égypte, ils étaient d'un vert incroyable, comme artificiel.

Mon train n'arriva à Londres qu'à la tombée de la nuit. À la gare d'Euston, je balançai mes affaires sur mon dos et, errant à travers les rues bombardées plongées dans l'obscurité du black-out, je me dirigeai vers le West End. Parvenu à Leicester Square, je dénichai dans la nuit noire un petit hôtel douteux. J'entrai et demandai à la gérante si je pouvais téléphoner. Un uniforme de la RAF avec des ailes sur la vareuse était un excellent passeport en Grande-Bretagne en 1941. La bataille d'Angleterre venait d'être gagnée par les chasseurs et maintenant nos bombardiers commençaient à attaquer sérieusement l'Allemagne. La gérante considéra mon insigne ailé et mit son téléphone à ma disposition. Avec l'annuaire de Londres entre les mains, une brillante idée me vint. Je cherchai le nom de ma demi-sœur plus âgée que je savais mariée à un biochimiste, le professeur A. A. Miles (l'homme au tabac de chèvre de *Moi, Boy*). Ils vivaient à Londres. Je trouvai leur numéro et le formai sur le cadran. Ma demi-sœur décrocha et je déclinai mon identité. Les cris de surprise une fois calmés, je lui demandai où étaient ma mère et mes autres sœurs. Elles étaient réfugiées dans le Buckinghamshire, me dit-elle. Elle allait immédiatement appeler ma mère pour lui faire part de la stupéfiante nouvelle.

– Non, ne fais pas ça, dis-je. Donne-moi le numéro, je vais l'appeler moi-même.

Ma demi-sœur me le donna et je le notai sur un bout de papier. Elle me dit également qu'elle pouvait m'héberger pour la nuit et je pris note de son adresse à Hampstead.

– Essaie de venir en taxi, dit-elle. Si tu n'as pas d'argent, on le paiera à ton arrivée.

Je la remerciai puis j'appelai ma mère.

– Allô ? dis-je. C'est toi, maman ?

Elle reconnut ma voix tout de suite. Il y eut un bref silence au bout du fil tandis qu'elle s'efforçait de réprimer son émotion. J'étais parti depuis trois ans durant lesquels nous ne nous étions pas parlé une seule fois. À l'époque, on ne se téléphonait pas d'un pays lointain à un autre comme on le fait aujourd'hui. Et trois ans pouvaient sembler long à une mère attendant un fils unique, pilote de chasse en Libye et en Grèce. Huit mois plus tôt, elle avait vu le postier du village à la porte de son cottage, une enveloppe de télégramme beige à la main. Toutes les épouses et toutes les mères

263

du pays vivaient dans la crainte d'ouvrir leur porte à un facteur porteur d'un télégramme. Beaucoup refusaient même de toucher à l'enveloppe. Elles ne pouvaient supporter de lire le message succinct du War Office : « NOUS AVONS LE REGRET DE VOUS INFORMER DE LA MORT DE VOTRE MARI (OU FILS) TUÉ AU COMBAT... » Elles préféraient laisser l'enveloppe sur un meuble jusqu'à ce que quelqu'un vînt l'ouvrir pour elles. Ma mère avait mis le télégramme de côté et attendu que l'une de ses filles, affectée à la conduite d'un camion, rentre de son travail. Ensuite, elles s'étaient assises toutes les deux sur le canapé et ma sœur avait ouvert l'enveloppe et déplié le papier à l'intérieur. Il y avait : « AVONS REGRET VOUS INFORMER FILS BLESSÉ HOSPITALISÉ À ALEXANDRIE. » Leur soulagement avait été à peine supportable.

— Je boirais bien quelque chose, avait dit ma mère.

Ma sœur avait pris dans le buffet la précieuse bouteille introuvable dans le commerce et elles avaient l'une et l'autre lampé une bonne rasade de gin pur.

— C'est vraiment toi, Roald ? dit la voix de ma mère très doucement au bout du fil.

— Je viens de rentrer, dis-je.

— Tu vas bien ?

— Très bien.

Il y eut un autre silence et je l'entendis chuchoter avec animation quelque chose à l'une de mes sœurs qui devait se trouver à côté d'elle.

— Quand va-t-on te voir ? demanda-t-elle.

— Demain, dis-je. Dès que je pourrai prendre un

train. J'ai des citrons pour toi, des citrons verts et des grandes boîtes de marmelade.

Je ne savais pas quoi dire d'autre.

– Tâche de prendre un des premiers trains.

– Bien sûr, dis-je. Je partirai le plus tôt possible.

Je remerciai la gérante qui m'avait écouté derrière son petit bureau dans l'entrée de l'hôtel et je sortis pour me mettre à la recherche d'un taxi. Je me tenais sous le porche de l'hôtel de Leicester Square dans la nuit noire du black-out quand un groupe de quatre ou cinq soldats vint m'examiner de tout près.

– C'est un salaud d'officier ! s'écria l'un d'eux. On va lui faire sa fête !

Les faces ricanantes des hommes éméchés se faisaient agressives et leurs poings se levaient quand l'un d'eux s'écria soudain :

– Hé là, stop ! C'est un gars de la RAF ! Un pilote ! Il a l'insigne !

Sur quoi, ils battirent en retraite et disparurent dans l'obscurité.

Ce fut un rude choc pour moi de penser qu'une bande de soldats ivres pouvait rôder dans les rues sombres de Londres à la recherche d'officiers à tabasser.

Aucun taxi n'apparaissant, je balançai mes énormes sacs en équilibre sur mes épaules et me mis en marche vers Hampstead. Depuis Leicester Square, c'est une sacrée trotte, même sans trois sacs à se coltiner, mais j'étais jeune et robuste, j'étais en route pour rentrer chez moi et je me sentais capable de faire, s'il le fallait, cinquante kilomètres à pied.

Je mis une heure trois quarts à parvenir à la maison de ma demi-sœur. Ce furent de plaisantes retrouvailles. Je leur fis don de citrons et de marmelade et m'écroulai avec gratitude dans mon lit.

Tôt le lendemain matin, on me conduisit à la gare de Marylebone où je trouvai un train pour Aylesbury. Il y avait une heure et quart de trajet. À Aylesbury, je montai dans un car qui, le chauffeur me l'assura, traversait Grendon Underwood. Le voyage en car dura plus longtemps que celui en train et je ne cessai de rappeler à un vieil homme assis près de moi de me prévenir quand nous approcherions de Grendon Underwood.

– Voilà, on y arrive ! me dit-il enfin. C'est pas bien grand, hein ? Trois, quatre maisons et un pub.

Le cottage de maman

Je reconnus ma mère alors que nous nous trouvions encore à une centaine de mètres. Elle attendait patiemment devant la porte du cottage l'apparition du car. Peut-être se tenait-elle exactement au même endroit lors de l'arrivée du car précédent une heure ou deux plus tôt ? Mais que représentent une heure ou même trois lorsqu'on a attendu trois ans ?

Je fis signe au chauffeur et il s'arrêta juste devant la maison. Je bondis à bas du véhicule et tombai droit dans les bras de ma mère.

Table des matières

Pour en savoir plus sur
ROALD DAHL

Roald Dahl était un espion, un pilote de chasse émérite, un historien du chocolat et un inventeur en médecine. Il est aussi l'auteur de *Charlie et la chocolaterie*, *Matilda*, *Le BGG* et bien d'autres fabuleuses histoires : il est le meilleur conteur du monde !

Du même auteur chez Gallimard Jeunesse

FOLIO CADET
Fantastique Maître Renard
La Girafe, le pélican et moi
Le Doigt magique
Les Minuscules
Un amour de tortue
Un conte peut en cacher un autre

FOLIO JUNIOR
Charlie et la chocolaterie
Charlie et le grand ascenseur de verre
Coup de gigot et autres histoires à faire peur
Escadrille 80
James et la grosse pêche
L'enfant qui parlait aux animaux
La Potion magique de Georges Bouillon
Le BGG

Les Deux Gredins
Matilda
Moi, Boy
Sacrées Sorcières
Tel est pris qui croyait prendre

La Poudre à boutons et autres secrets mirobolants
de Roald Dahl

FOLIO JUNIOR XL
Trois Histoires (Charlie et la chocolaterie – Charlie et
le grand ascenseur de verre – James et la grosse pêche)

FOLIO JUNIOR V.O.
Lamb to the Slaughter and Other Stories

FOLIO JUNIOR THÉÂTRE
Charlie et la chocolaterie
James et la grosse pêche
Le BGG
Sacrées Sorcières

BIBLIOTHÈQUE GALLIMARD JEUNESSE
Matilda (*préface de Jean-Claude Mourlevat*)
Charlie et la chocolaterie (*préface de Susie Morgenstern*)

SCRIPTO
Coup de chance et autres nouvelles

GRAND FORMAT LITTÉRATURE
4 histoires (Charlie et la chocolaterie – Charlie et le grand
ascenseur de verre – James et la grosse pêche – Matilda)
Le BGG
Les Minuscules

L'HEURE DES HISTOIRES
L'Énorme Crocodile

ÉCOUTEZ LIRE
Charlie et la chocolaterie
Charlie et le grand ascenseur de verre
Coup de gigot et autres histoires à faire peur
Fantastique Maître Renard
James et la grosse pêche
La Potion magique de Georges Bouillon
Le BGG
Les Deux Gredins
Les Minuscules
Matilda
Moi, Boy
Sacrées Sorcières

HORS-SÉRIE
Charlie et la chocolaterie. Un livre pop-up
Roald Dahl, le géant de la littérature jeunesse
(*avec le magazine* Lire)
Moi, Boy et plus encore
Le BGG (édition en couleurs)

HORS-SÉRIE MUSIQUE
L'Énorme Crocodile
Un amour de tortue

Mise en pages : Karine Benoit

Loi n° 49-956 du 16 juillet 1949
sur les publications destinées à la jeunesse
ISBN : 978-2-07-508540-3
Numéro d'édition : 398969
Premier dépôt légal dans la même collection : août 2017
Dépôt légal : juillet 2021

Imprimé en Espagne chez Novoprint (Barcelone)